SEM PADECER NO PARAÍSO

EM DEFESA DOS PAIS OU SOBRE A TIRANIA DOS FILHOS

Outras obras da autora

Encurtando a adolescência
Rampa (romance)
O *adolescente por ele mesmo*
Educar sem culpa
Escola sem conflito
Sem padecer no paraíso
Diabetes sem medo (Editora Rocco)
A escola em Cuba (Editora Brasiliense)
Limites sem trauma
O*s direitos dos pais*
O *professor refém*

Tania Zagury

SEM PADECER NO PARAÍSO

EM DEFESA DOS PAIS OU SOBRE A TIRANIA DOS FILHOS

39ª edição

EDITORA RECORD
RIO DE JANEIRO • SÃO PAULO
2015

CIP-Brasil. Catalogação-na-fonte
Sindicato Nacional dos Editores de Livros, RJ.

Zagury, Tania, 1949-
Z23s Sem padecer no paraíso / Tania Zagury. – 39ª ed. – Rio
39ª ed. de Janeiro: Record, 2015.

Inclui bibliografia
ISBN 978-85-01-05924-6

1. Pais e filhos. 2. Crianças – Formação. 3. Crianças – Desenvolvimento. 4. Psicologia infantil. I. Título.

CDD – 155.4
00-0457 CDU – 159.922.7

Copyright © 1991 by Tania Zagury

Direitos exclusivos desta edição reservados pela
EDITORA RECORD LTDA.
Rua Argentina 171 – Rio de Janeiro, RJ – 20921-380 – Tel.: 2585-2000

Impresso no Brasil

ISBN 978-85-01-05924-6

Seja um leitor preferencial Record.
Cadastre-se e receba informações sobre nossos lançamentos e nossas promoções.

Atendimento e venda direta ao leitor:
mdireto@record.com.br ou (21) 2585-2002.

A todos os pais, meus companheiros
no prazer, no amor, nas dúvidas
e na culpa.

Sumário

Agradecimentos

Ao LEÃO, marido, amigo e conselheiro, pela inestimável contribuição na leitura, análise e sempre oportunas intervenções nas mil versões escritas até a forma final. Pela inteligência dos comentários e, principalmente, pelo enorme incentivo;

Aos meus filhos muito queridos, RENATO e ROBERTO, por tantos anos campo de "experiências pedagógicas" e, principalmente, pelas muitas horas roubadas à nossa convivência;

À FRANCIS MISZPUTEN, pela paciência, dedicação e entusiasmo com que orientou meus primeiros passos vacilantes no uso do computador e especialmente pela doçura e pelo interesse genuíno;

Ao RAFAEL LINDEN, por franquear, com tanta boa vontade e presteza, o acesso aos programas que tanto agilizaram os cálculos estatísticos;

À MUNIRA AIEX PROENÇA, pela orientação segura no campo da Psicologia e pela validação interna do instrumento utilizado na pesquisa;

Aos diretores dos colégios JOÃO PAULO II, em Senador Camará, GPI da Tijuca, VEIGA DE ALMEIDA, no Méier, SALESIANO, no Jacaré, e ANDREWS, em Botafogo, respectivamente, Prof. Luiz Gustavo Rosa da Silva, Profª Vera Zimbaro

Siciliano, Prof. Pe. Cipriano, Profs. Paulo Muniz e Edgar Flexa Ribeiro, que prontamente acederam ao nosso pedido de acesso aos pais, através de seus alunos, para a pesquisa de campo;

À CIVIA STERNICK, pela orientação e discussão utilíssimas quanto à metodologia da pesquisa;

Ao Dr. RAUL FARIA JÚNIOR, pela disponibilidade e pela clareza das explicações de alguns aspectos estatísticos;

Às minhas alunas HILER RANGEL DA SILVA, MARIA FERNANDA LOUREIRO DE AZEVEDO e MARIA LUIZA GOMES PEREIRA, que tão eficientemente atuaram como auxiliares de pesquisa; e

A TODOS OS PAIS que, com empenho e desinteressadamente, aceitaram responder ao questionário da pesquisa.

Prefácio

Da tirania dos especialistas

Este livro constitui um saudável exemplo de que é possível desenvolver sem conservadorismo um pensamento divergente das modas e manias autoproclamadas modernas. Nele, Tania Zagury transita com desenvoltura no acidentado território das relações entre pais e filhos, marcado, nos tempos atuais, pela ambigüidade e pela disputa entre as regras ditadas pelos estudiosos do desenvolvimento infantil e os reais obstáculos que a necessidade de sobrevivência nas sociedades modernas coloca à organização familiar.

Revelando grande sensibilidade para com os sentimentos angustiantes e contraditórios que vivem pais e mães diante da difícil tarefa de educar filhos saudáveis e ajustados numa sociedade marcada pela diversidade, o pluralismo e a violência, a autora mostra como as exigências estabelecidas pelos especialistas quanto à melhor forma de atingir esse objetivo são, em geral, de pouca ajuda, ou mesmo dificultam a tomada de decisões equilibradas nas relações entre pais e filhos.

Partindo da reflexão de sua própria experiência como mãe — o que dá ao livro um caráter muito pessoal e verdadeiro —, Tania Zagury critica assim a tirania de psicanalistas, psicólogos, educadores, que têm contribuído para um dos mais danosos reducionismos em Educação — o psicologismo —, quando sacralizam as necessidades infantis, impondo sua satisfação como único motivo que justifica a vida daqueles que cometeram o pecado original de gerar outra vida.

Com a legitimidade de quem também ocupa lugar de destaque no mundo acadêmico, falando a partir de sua posição de Professora Adjunta da Faculdade de Educação da Universidade Federal do Rio de Janeiro, Tania Zagury critica os que ditam regras abstratas para o bem-estar dos filhos, desconsiderando as condições reais que as famílias enfrentam no seu cotidiano para proverem as necessidades materiais e emocionais de seus membros.

Unindo assim vivência e legitimidade a um grande bom senso, ela diz com simplicidade aos pais — sobretudo os de classe média, mais vulneráveis aos apelos das psicologias modernosas — que não é pecado nem autoritarismo querer estabelecer com os filhos relações que permitam preservar para eles, pais, tempo e espaço de privacidade e satisfação de seus desejos de adultos.

A autora elabora a idéia de que os pais que se submetem ao absolutismo das demandas da prole em detrimento de suas necessidades como pessoas vão se sentir inevitavelmente lesados e acabarão cobrando por isso, para depois caírem na pior armadilha dos sentimentos humanos: a culpa. Culpa esta que, numa relação simbiótica — esta sim neurótica —, se transfere aos filhos, esses eternos devedores da abnegação e sacrifícios paternos.

Sempre trilhando o caminho do bom senso e usando exemplos corriqueiros para qualquer pessoa que tem filhos, mas aplicando sobre esse cotidiano um raciocínio rigoroso, o livro descreve aquilo que todos os pais já sabem, embora nem sempre reconheçam: que, como em qualquer relação humana, a de pais e filhos constitui um desafio recíproco permanente, uma tensão que busca testar os limites, a força, a fraqueza e a disponibilidade do parceiro. Menos experientes, os filhos tendem sempre a avançar, procurando onde se encontra a negação, o limite do adulto, de quem não sabem bem ainda o que esperar, mas sem dúvida supõem que estão ali, não para serem apenas provedores, mas também orientadores sobre o que é certo e errado, sobre o que se pode e não se pode fazer.

Neste sentido, alerta para os efeitos nocivos que pode ter sobre o futuro adulto uma educação familiar na qual as necessidades infantis constituem o centro de todas as ações e subordinam a vida dos que vivem no mesmo espaço. Crescer sem preparo para lidar com os limites e obstáculos que a vida impõe a todos é tão perigoso quanto crescer oprimido pelo pai-patrão.

Estabelece-se assim um saudável contraponto àqueles que — analisando o desenvolvimento infantil dissociado da história e da vida em sociedade — entendem que a supressão da frustração é a forma privilegiada de criar pessoas sadias, e pouco se preocupam em prepará-las para conviverem com a frustração sem permitir que esta controle sua vida e seu comportamento.

Em resumo, uma contribuição importante deste livro está na franqueza e honestidade com que a autora procura mostrar aos pais em que condições o exercício da autoridade pode ser legítimo, que educar é assumir a responsabilidade de estabelecer limites, que o importante é não fraudar suas verdades e sentimentos, que ser democrático, na sociedade e na família, é garantir eqüidade, compartilhar oportunidades de desenvolvimento para os filhos sim, mas também para os pais.

Simplicidade, entretanto, não se confunde com simplismo. Ao contrário, Tania Zagury recorre de um lado a conceitos da teoria política para discutir a diferença entre liberalismo e democracia; de outro, apresenta resultados de pesquisa que revela as perplexidades e contradições de pais de classe média, informados sobre as "boas" regras dos especialistas, mas obrigados a organizar as relações com seus filhos num tempo e num espaço cujos recursos não são infinitos.

Criar filhos nunca foi tarefa fácil e isenta de dor e culpa. A história, a literatura, o teatro estão repletos de exemplos de conflitos entre pais e filhos e formas até violentas de resolvê-los.

Na Índia antiga era comum filhos herdeiros de um reino matarem o pai por ambição ou necessidade. O velho rei já não apresentava condições de enfrentar a belicosidade dos governantes vizinhos.

Em exemplo oposto, Abraão não hesitou em sacrificar a vida de seu único filho à vontade do Senhor. Mas Este, em Sua piedade, mostrando que também era um pai de amor, no último minuto poupou Abraão daquele ato tão doloroso.

Essa é uma história rica de ensinamentos e simbolismos para a análise das relações entre pais e filhos. Lembra-nos sobre épocas históricas em que era socialmente aceito o poder absoluto sobre a prole, até mesmo o de vida e morte, porque a fonte de legitimização desse poder era um universo moral muito bem ordenado, exterior à decisão individual. No caso de Abraão, as leis e vontade de Deus.

Mas ensina, também, quando da suspensão do sacrifício, que a sabedoria simbolizada pela decisão divina, reconhecendo a dor e a culpa presentes nas relações com os filhos, aconselha sempre que possível eliminá-las ou atenuá-las. Quando Deus lembra Abraão do amor de Sarah por Isaac e do papel a este reservado na formação do povo judeu, aponta para o amor e o projeto de vida comum como um caminho para superar a dor e a culpa.

O que provavelmente torna essa tarefa mais complexa nos dias atuais é a ausência de um sistema único e acabado de valores, é o caráter pluralista, intensamente dinâmico das sociedades atuais, nas quais padrões de condutas e concepções de mundo disputam hegemonia sem que prevaleça apenas uma delas.

Isso desloca para o âmbito familiar e, na família, para o individual, a difícil empresa de decidir entre valores alternativos. Sendo também as sociedades modernas saturadas de informação e conhecimentos, impõe-se a necessidade de profissionais especializados para atuar na ordenação da vida social. À legitimidade destes últimos fica vulnerável quem está inseguro quanto ao rumo a tomar, por se achar "leigo" no assunto.

O reinado dos especialistas — da economia à vida sexual — não deve ser absoluto, nem substituir a capacidade de pensar e *sentir* das pessoas. Relativizar e mostrar as falhas dos tecnocratas é bom, tanto para a economia do país como para a saúde emocional da vida familiar.

A leitura do livro de Tania Zagury põe portanto em xeque o discurso dos que abusam de sua condição de "especialistas no assunto", indicando aos pais que, sem desconsiderar as regras sobre a importância de atender a criança em suas necessidades vitais, eles não devem permitir que nenhuma recomendação ou conselho substitua sua própria capacidade de reflexão ou os induza a encobrir seus verdadeiros sentimentos, sejam eles de amor ou de ódio.

Das entrelinhas das colocações da autora fica a sensação de que criar filhos é um empreendimento humano arriscado e ao mesmo tempo fascinante, sujeito a muitas falhas, mas pleno de potencialidades para tornar a vida mais rica e generosa. O desafio é tomar conta dos conflitos para que eles não tomem conta das pessoas, é aprender a conviver com a contradição e abrir mão definitivamente de qualquer pretensão de perfeição.

O que nossos filhos serão depende de nós, mas não apenas de nós. Não somos onipotentes, e nosso filhos serão seres imperfeitos, mas também com muitas qualidades, amedrontadores e maravilhosos, como a vida.

São Paulo, abril de 1991.

GUIOMAR NAMO DE MELLO
Doutora em Educação
Professora da Pontifícia Universidade Católica de São Paulo

SEM PADECER NO PARAÍSO

Em defesa dos pais ou sobre a tirania dos filhos

I
Introdução

Foi ao longo dos anos como mãe, tarefa que consome cada minuto e cada segundo do nosso dia-a-dia, que comecei a perceber a grande mudança que ocorrera nessa relação complexa e arrebatadora que é a relação pais-filhos.

Desempenhando este difícil papel, tão difícil que só o avaliam as pessoas que também são pais ou mães, despertei para o fenômeno.

É uma mudança inquietante e surpreendente, esta que vem ocorrendo. Já foram muitos os que escreveram e discutiram as diferenças que vêm surgindo nas últimas gerações. Sem dúvida não sou a primeira. Mas decidi fazê-lo por crer que alguns aspectos do problema que ainda não foram questionados também me parecem bastante pertinentes à questão.

Decidi transmitir as reflexões que fiz a partir da percepção do problema aos pais que neste momento, acredito, devem debater-se com as mesmas dúvidas por que passei e que me abalaram bastante na época. Sem qualquer pretensão, penso poder compartilhar o alívio que senti, a segurança que adquiri, após definir-me em relação ao assunto.

Evidentemente tudo na vida deve ser sempre revisto e repensado, sobretudo quando nos referimos à educação de nossos filhos. Mas neste momento, acredito firmemente nas conclusões a que cheguei, porque são fruto da união entre a experiência de mãe e de educadora.

Acredito que tanto os pais quanto as mães sofrem das mesmas ansiedades, dúvidas, temores, alegrias, insatisfações, enfim, todos os sentimentos ambivalentes que povoam o dia-a-dia dos pais. Por isso, optei pelo uso indiscriminado dos termos "pai", "mãe" ou "pais". Estarei sempre me referindo aos dois, porque cada um a seu modo, alternadamente, sente, sofre, ama, se delicia e se desespera nos mil momentos de um dia da nossa vida de pais.

Mas, enfim, que mudança é essa a que me refiro?

As três últimas décadas caracterizaram-se pela disseminação em larga escala de uma série de informações sobre educação de crianças, relacionadas com a Pedagogia e com a Psicologia, assuntos que até bem pouco tempo eram domínio estrito de especialistas. Atualmente, livros para leigos, entrevistas e debates em rádio e televisão, revistas e jornais abordam constantemente esses assuntos, tornando pública uma série de conceitos e idéias que, conseqüentemente, se refletiram na forma de agir e pensar dos pais, alterando a relação pais-filhos.

Apesar da inquestionável contribuição positiva que esses conhecimentos trouxeram — e talvez as maiores tenham sido o crescimento do diálogo entre as gerações e a atenuação dos conflitos da antiga relação, extremamente autoritária —, estes mesmos conhecimentos vieram modificar, em contrapartida, toda a estrutura da relação.

Essas mudanças foram tão profundas, tão grandes, que levaram ao questionamento de quase tudo que se fazia até então. Entretanto, muito do que se passou a considerar "fora de uso", "antiquado" ou "ultrapassado" em termos de educação não foi claramente substituído por outras formas de ação educacional. Fala-se que não se deve agir de uma determinada forma, mas não se apresenta qual a nova forma de agir. É natural. Estamos numa fase de transição, de crescimento. Só que, enquanto isso, os filhos continuam nascendo, os pais continuam existindo e agindo. Não há possibilidade de dar uma "paradinha" para esperarmos a decisão sobre qual a melhor forma de educar nossos filhos. Então, temos hoje uma geração de pais que sabem que não devem fazer certas coisas, não devem ignorar outras, mas, por outro lado, não sabem exatamente, com segurança, como agir. Os pais de ontem tinham muito mais segurança do que faziam. Acreditavam firmemente que, como pais, sabiam o que era melhor para os seus filhos. Não só acreditavam, como viviam dizendo isso às suas crianças (eu mesma ouvi várias vezes de meus pais).

Ignorar que tipo de conseqüências a disciplina rígida, os castigos, as inúmeras regras poderiam trazer aos filhos pode ter sido muito confortável para os pais da geração passada, porque se não há conhecimento não há erro, e se não há erro *não há culpa*.

Os pais de hoje, apesar de terem mais informações, são mais inseguros e freqüentemente temem as conseqüências de cada atitude sua.

Na verdade, parecem existir falhas na compreensão exata de alguns conceitos divulgados ultimamente pela imprensa ou pela literatura, que acabam tornando-se na prática fonte de angústia e ansiedade, devido à distorção do seu real significado.

Estas informações mal compreendidas têm deixado os pais muito inseguros perante os filhos, resultando em alguns casos numa inversão do sentido de autoridade da relação.

Há uma forte tendência psicologizante na literatura leiga e nas publicações científicas sobre Educação. Essa tendência, iniciada há aproximadamente vinte anos, vem levando os pais a uma postura menos autoritária na relação com seus filhos. Muitas vezes, entretanto, essas atitudes não são produto de decisões conscientes, mas sim da pressão que tais leituras e informações exercem sobre os pais.

Estudos de Psicologia Social já demonstraram a necessidade que têm as pessoas de pertencerem a um grupo, de serem por ele aceitas e de estarem integradas. Esta necessidade conduz o indivíduo a agir em conformidade com as normas, padrões e regras dos grupos a que pertence, muitas vezes sem questioná-las ou sem concordar com elas. Apenas para não "destoar" do grupo, garantindo ou tentando garantir sua aceitação.

Em Educação, as propostas derivadas da chamada Escola Nova, da Teoria da Não-diretividade, de Carl Rogers, da Psicanálise, das teorias das relações humanas, entre outras, trouxeram, todas elas, numa prática menos autoritária, normas menos rígidas, maior possibilidade de diálogo. Trouxeram, sem dúvida, mais compreensão, maior conhecimento das necessidades da criança em suas diferentes fases de desenvolvimento e, portanto, menos autoritarismo na relação entre pais e filhos, bem como entre professores e alunos. Nenhuma delas pretendia incentivar, porém — é importante ressaltar —, a falta ou ausência de autoridade na relação pais-filhos.

Desejam franqueza nas relações, diálogo. Encorajam os pais a escutarem mais seus filhos, a interpretarem determinadas atitudes não como rebeldia, mas como um código não-verbal, expressão de suas necessidades.

Estimulam, enfim, a relação igualitária, tanto quanto possível.

Na prática, porém, muitos pais interpretaram essa necessidade de debate e de se escutar a criança como uma sinalização para abdicarem de qualquer tipo de autoridade, confundindo tal conceito com autoritarismo. O mesmo problema vem ocorrendo nas escolas, onde os professores que tentam alcançar algum tipo de disciplina são acusados de autoritários, inflexíveis e antidemocráticos. Pais e professores, filhos e alunos estão sofrendo a conseqüência perniciosa da má interpretação das teorias liberais de educação, surgidas com o advento da Escola Nova.

Se a geração dos meus pais, por exemplo, nem pensava em questionar suas atitudes, simplesmente reproduzindo o que seus pais tinham feito em termos de educação, por outro lado a nossa chegou a um ponto no mínimo curioso: *atualmente muitos pais não se sentem seguros para nada*.

As distorções na interpretação dos conceitos divulgados pela imprensa em geral, a leitura sem embasamento adequado de livros técnicos, pouca discussão com especialistas etc. podem ser algumas das causas dessas situação. Surge, em conseqüência, uma série de deformações conceituais que tornam confusas noções como autoridade, autoritarismo, democracia etc. Não ignoro que outros fatores certamente tiveram também influência decisiva nessas mudanças, como os sociais e políticos. Aqui, no entanto, pretendo ater-me à discussão dos fatores educacionais, embora consciente de sua inter-relação com os demais fatores.

É interessante ressaltar que esse conhecimento, justamente por ser pouco profundo, trouxe a seguinte conseqüência: determinados fenômenos, que se tornaram mais difundidos no meio leigo, como *frustração, trauma*, entre outros, levaram os pais ao receio de tornarem-se os geradores desse tipo de problemas. Não sem razão: as teorias psicanalíticas difundem-se cada dia mais. Quem ainda não ouviu falar, hoje em dia, de "supermãe", "complexo de Édipo", "castração" etc.? E como será que tudo isso influencia as pessoas na hora de lidar com seus filhos?

Se um pai, preocupado e dedicado, lê artigos que criticam aqueles que procuram criar limites para os filhos, ou que discorrem sobre as dificuldades geradas pelos pais que superprotegem os filhos, a tendência é evitar quaisquer comportamentos que lhe pareçam gerar estes problemas. Em primeira instância, parece tudo bem. Mas se estes artigos ou livros apenas criticam e levantam o problema sem nada apresentar como alternativa de ação, o que ocorre é uma tendência à inquietação e à insegurança.

As dificuldades involuntárias, porém reais e concretas, que esta geração de pais vem enfrentando devem-se também a um clima existente na nossa sociedade que valoriza conceitos como ser "liberal", "moderno", "democrático", em detrimento de outros que lhes são apresentados como negativos. Nem sempre, na verdade, tais conceitos encontram-se em oposição, embora a sociedade assim lhes faça crer.

A geração de 1968, os pais de hoje, foi justamente a que mais questionou valores até então indiscutidos. Felizmente para todos. Mas justamente por isso, como estarão eles agora frente à necessidade de educar seus filhos? E é bom lembrar que educar implica sempre, em maior ou menor grau, a necessidade de limitar, de às vezes dizer *não*, de negar algumas coisas aos filhos. Dizer *não* nessas circunstâncias pode se tornar uma coisa difícil, para muitos talvez uma barreira intransponível.

A meu ver, estes pais estão passando por um dura prova: eles deixaram de ser "senhores" na relação, o que era o mais comum na geração anterior (em que as ordens dadas jamais eram questionadas ou discutidas), mas também não conseguiram alcançar uma relação igualitária, verdadeiramente dialógica. Fruto da insegurança dessa nova geração de pais, que questiona cada um de seus atos, surge uma nova espécie de "tirania" — a dos filhos em relação a eles, pais. Não há, nesta nova relação, uma mudança qualitativa. O que se observa é apenas uma tendência à inversão de papéis. A esse respeito, um amigo do meu marido usou uma expressão muito engraçada, que bem caracteriza essa situação. Segundo ele, esta é a "geração peito-de-frango", porque se aos nossos pais ficava sempre reservado o melhor pedaço do frango, agora os nossos filhos até se servem antes de nós, e da parte nobre, sem questionar se outros também gostariam de comer aquele pedaço. É comum vermos a própria mãe servindo primeiro aos filhos e somente depois ao marido. Antes, essa era uma atitude impensável.

Não pretendo discutir "a quem cabe o melhor pedaço do frango". O que importa é discutir até que ponto o pai realmente optou por deixar o melhor pedaço para o seu filho, ou apenas aquiesceu à atitude do filho por medo ou insegurança sobre o que é ou não direito de quem.

A educação moderna, que se pretendia uma educação com respeito mútuo e diálogo, vem mantendo, especialmente nas classes média e alta (às quais se referem estas observações), a característica do autoritarismo, só que, agora, dos filhos em relação aos pais. Os pais sentem-se acuados, inseguros e intimidados não pelos filhos diretamente — em princípio —, mas por todos estes fatores que se lhes ficaram no inconsciente, por tudo que eles vêm absorvendo desse clima que se constituiu na nossa sociedade e que será a base da discussão deste livro.

Em defesa dessa geração de pais, pode-se dizer que é grande o número de obras publicadas que estimulam o surgimento desse tipo de atitude, como veremos adiante. Não pelo fato de terem sido publicadas, evidentemente, mas porque muitas delas foram distorcidas ou mal compreendidas. Algumas, por seu sectarismo e conclusões dogmáticas, realmente conduziram seus leitores a tais atitudes.

É fundamental restituir aos pais a coragem que eles perderam, talvez até sem sentir, na tentativa de encontrar um novo caminho nas suas relações com os filhos. É preciso evitar que se invertam os papéis de dominador-dominado/dominado-dominador. Isto pura e simplesmente não conduzirá a nada de positivo. A discussão que se segue pretende contribuir para a elucidação de alguns problemas, através da discussão das distorções surgidas neste primeiro momento de busca.

II

A questão da relação pais-filhos hoje

Um dos primeiros aspectos que me despertaram para o problema em questão foi perceber que muitos pais hoje em dia têm sérias dificuldades em estabelecer limites para os filhos e em dar fim a discussões e a pequenas questões simples do dia-a-dia. Nisso são completamente diferentes dos pais da geração anterior. Independentemente do nível de conhecimento e cultura, muitos pais com os quais venho convivendo têm-se mostrado incrivelmente incapazes de exercer sua autoridade junto aos filhos. Alguns, mais do que outros, parecem temer exercer essa autoridade. Em determinados momentos, esta forma de agir, longe de melhorar as coisas, torna a relação bastante complicada e extenuante.

De uma maneira geral, parece-me que as mães apresentam esse tipo de dificuldade em maior grau que os pais, da mesma forma que as mães que trabalham fora, por sua vez, tendem a apresentar essa "síndrome" de forma ainda mais acentuada.

Sem saber como agir diante da nova relação de forças, os pais abandonaram a postura excessivamente rígida anterior, o que foi, sem dúvida, muito bom. O problema é: como encontrar a medida certa entre o "sim" e o "não"? Como os modernos livros e artigos de psicologia infantil tendem a não apresentar regras, os pais ficam "paralisados" diante da nova situação.

Essa atitude dos pais, da mesma forma, ocorreu também na prática de muitos dos nossos professores. A Tendência Liberal Renovada Progressivista, linha pedagógica surgida com John Dewey, Anísio Teixeira e Maria Montessori, entre outros, bem como a Tendência Renovada Não-diretiva, cujo principal representante foi Carl Rogers, foram as "escolas" que, dentro da Pedagogia, mais contribuíram para alterar a relação professor-aluno e pais-filhos. Foram elas que introduziram idéias como "atendimento às necessidades individuais", "adequação das necessidades individuais ao meio social", "a escola deve retratar a vida", dando ênfase sobretudo aos aspectos psicológicos antes que aos pedagógicos e sociais. Através dos postulados dessas linhas pedagógicas, o conteúdo, antes considerado prioritário (Escola Tradicional), passou a ter uma importância secundária, priorizando-se a relação professor-aluno, a não-intervenção, o respeito e a aceitação plena do aluno como pessoa, a vivência democrática (Rogers*) e o apoio total ao desenvolvimento livre e pleno da criança (Dewey e Montessori**). Essas idéias surgidas no campo da Educação foram sem dúvida um avanço substancial no ensino, mas trouxeram, por outro lado, algumas conseqüências indesejadas e não previstas por seus teóricos. Distorcidas pela interpretação incorreta ou radical de alguns de seus seguidores, trouxeram para a sala

*Carl Rogers, *Tornar-se pessoa.*
**M. Montessori, *Montessori em família.*

de aula alguns problemas sérios, tais como a dificuldade de os professores estabelecerem limites entre a liberdade que pretendiam dar aos alunos e a autoridade que precisavam ter em determinados momentos, bem como a queda da qualidade de ensino, a partir do momento em que os professores, por interpretarem de forma inadequada as premissas destas "escolas", partiram para o quase total descompromisso com a aprendizagem e com os conteúdos do ensino, para citar apenas alguns dos problemas ocorridos na prática pedagógica em função das inovações trazidas por estas linhas.

Os conceitos da Escola Nova encontraram milhares de adeptos e transpuseram os muros da escola através do aumento de publicações sobre Educação e Psicologia, quando difundiram-se de forma bastante significativa entre os leigos. Também na comunidade em geral e entre os pais, principalmente, essas idéias encontraram grande receptividade. Tornaram-se correntes idéias como "dialogar com os filhos, compreender o enfoque das crianças, evitar frustrar, dar liberdade, estimular a criatividade" etc. Da mesma forma porém que na escola tais idéias foram interpretadas de forma radical, o mesmo ocorreu com os pais, que passaram a crer, talvez sem muita consciência disso, que qualquer limitação, qualquer punição devia ser evitada a qualquer custo, sob pena de não serem "pais modernos", ou de estarem podando ou castrando a potencialidade dos filhos.

Os pais parecem ter desaprendido, por exemplo, como dizer um simples "não" de forma convincente, quando precisam negar alguma coisa aos filhos. Na maior parte das vezes, esse "não" soa como um "sim".

As coisas não foram mais fáceis para os nossos pais, não. As crianças não mudaram. São e serão insistentes quando querem alguma coisa. Foram os pais que mudaram: antes eles tinham certeza do que pretendiam em relação aos filhos e, por isso mesmo, não davam possibilidade de tanta discussão acerca de coisas simples como "hora de dormir", "comer ou não determinados alimentos" etc. Todas essas questões, que eram coisas definidas e definitivas para os pais da geração anterior, não o são mais hoje. Se essa mudança de atitude é boa ou ruim, não sei ainda. O que observo é que isso tudo não ocorreu como escolha, como decisão pessoal; se assim fosse, poderíamos até achar que houve realmente uma mudança significativa de postura. Na verdade, o que está acontecendo? Na medida em que os pais acham que não podem limitar seus filhos em nada, que a criança precisa de diálogo, de muitas explicações, até porque esses pais são produto de uma geração que lutou por esse tipo de valores, eles procuram dar aos filhos muito mais liberdade do que tiveram.

Entretanto, estão insatisfeitos na prática. Por quê? Porque, observados na sua relação com as crianças, percebe-se que agem movidos não por uma convicção interior, mas pelo que julgam ser o "moderno". Deixam as crianças fazerem de tudo, não limitam nada.

É claro que, depois de algum tempo, quando o limite de sua paciência se esgota, tentam dizer NÃO. Muitas vezes, têm vontade de limitá-los desde o início, mas só o fazem quando estão exauridos, quando não agüentam mais. Dessa forma, estimulam a criação de um círculo vicioso em que a criança, percebendo sua força, passa a repetir o mesmo comportamento em outras ocasiões. Ocorre que estas "outras ocasiões" podem, por exemplo, envolver perigo ou urgência e, então, a criança, habituada a ter sempre muitos "sins", cria verdadeiras batalhas ao ouvir um "não".

Pensando do enfoque do filho, como é que se pode pretender que ele entenda essas mudanças? Por que antes podia e agora não pode? Fica difícil compreender e, portanto, aceitar.

Chega a impressionar a dificuldade de alguns pais em definir uma série de coisas simples como hora de dormir, de comer, tipo de programa de TV que pode ou não ser assistido etc. Fica claro que eles gostariam de estabelecer esse tipo de regras, mas alguma coisa no seu íntimo os impede. Na verdade, o grande problema consiste no fato de os pais não saberem mais se é ou não correto deixar ou não deixar, fixar ou não fixar padrões e regras de comportamento. Freqüentemente, quando chegam a fazê-lo, o fazem em momentos de descontrole, o que é contraproducente. Mesmo assim, no momento seguinte voltam a ceder às pressões das crianças porque não estão imbuídos da certeza necessária à efetivação prática de qualquer ato.

O que preocupa é perceber claramente que esta prática não os satisfaz. Parece que eles se obrigam a um tipo de comportamento, mas, dada a ambigüidade do seu posicionamento, não conseguem mantê-lo por muito tempo. Na verdade, a impressão que se tem é que eles se obrigam a um comportamento no qual não acreditam verdadeiramente, mas que se impõem, porque lhes parece ser a forma "atualmente correta" de educar.

Ah, como certos pais gostariam de ter coragem de dizer aos filhos, sem sentir culpa depois: "Vá dormir *agora*; eu também sou uma pessoa que tem direitos; hoje *eu* vou escolher o programa de TV, já que você é quem escolhe todos os dias; hoje *eu* não vou entrar na água da piscina porque simplesmente quero conversar com os meus amigos; hoje *eu* vou falar ao telefone sem você me interromper; hoje *eu* vou ao banheiro sem deixar a porta aberta e você não vai me chamar até eu sair de lá; hoje *eu* vou conversar com seu pai sem ser interrompida mil vezes a cada frase; hoje *eu* não vou ficar deitada no chão ao lado de sua linda caminha até você adormecer, simplesmente vou lhe dar um beijo, cobri-lo carinhosamente e ir para a sala, enquanto você adormecerá calmamente; hoje *eu* vou ao cinema com seu pai e você não vai chorar nem espernear à porta; hoje *eu* vou jantar (após dez horas de trabalho) sem ter que colocá-lo no colo para partilhar (e remexer) o meu prato, já que você não só jantou como até já ceou; hoje *eu* vou receber visitas e — incrível! — você vai ficar alegremente brincando com seus 2.348 brinquedinhos, sem exibir-se a cada momento."

Se você achou estes exemplos absurdos, parabéns! Você, certamente, não pode ser incluído no grupo de pais a que me refiro. Porém, acredite, eles existem e são muitos.

Muitos pais perderam tanto espaço na relação com os filhos, devido aos fatores que descrevemos, que os exemplos acima parecerão a muitos verdadeiras fantasias: são situações irrealizáveis (embora altamente tentadoras).

A confusão de sentimentos é tão grande que eles praticamente se anulam como indivíduos. As informações recebidas através dos meios de comunicação e veiculadas de forma subliminar nos círculos sociais contribuem para "paralisar" os pais, para diminuir sua independência e capacidade de julgamento. Todas as coisas podem parecer altamente prejudiciais à liberdade, à democracia em que pretendem criar seus filhos. O medo impede-os de agir de forma espontânea. Eles próprios não conseguem ter consciência de até onde agem porque assim o desejam ou por temerem cercear o potencial dos filhos.

A culpa que lhes advém por uma admoestação mais severa é tão grande que, freqüentemente, procuram evitar outras situações semelhantes, partindo para atitudes totalmente contrárias às que gostariam de ter. Temem sempre, no íntimo, que estejam errando, "frustrando" os filhos. A passar por esse tipo de ansiedade, de situação de culpa, muitos pais preferem ceder aos desejos e exigências dos filhos, mesmo quando discordam da situação. Parece-lhes menos aflitivo ceder aos caprichos das crianças do que amargar depois o sentimento de culpa.

O que é preciso considerar é que ninguém consegue viver todo o tempo se enganando, fingindo estar agindo espontaneamente quando não o está. Mesmo porque, as dificuldades e pressões da vida moderna, que são a realidade de todos nós, exigem certo tipo de organização. Ceder a todas as necessidades infantis é completamente impossível e descabido. Por exemplo, o tempo das crianças é diferente do tempo dos adultos. Em geral, elas não têm pressa, fazem as coisas de acordo mais com o prazer do momento, são imediatistas e imprevisíveis, enquanto os adultos têm o seu tempo ditado pelo relógio, pelo emprego, pelas obrigações. A maioria de nós ignora realmente o que significa ter filhos até que os tem. E muito embora concordemos que é muito mais agradável agir como as crianças, a vida não nos permite esse tipo de luxo. Por mais que sejamos flexíveis e livres na nossa vida familiar, uma casa, para funcionar, principalmente quando existem filhos, tem que ter alguma estrutura (acho que só quem os tem pode compreender INTEGRALMENTE esta minha afirmativa): em geral, pai e mãe trabalham fora e, portanto, têm horários a cumprir. A criança também tem horário para entrar na escola ou na creche. Portanto, mesmo que tenhamos a disposição de deixar nosso filho decidir sobre a sua própria hora de comer, se ele alega não estar com fome na hora em que todos vão almoçar, não se pode ignorar, por outro lado, a realidade que a geração dos pais de hoje enfrenta. A sociedade é organizada dessa forma: obrigações, trabalho, engarrafamento, violência, competição. Estes fatores fazem parte do cotidiano da maior parte das pessoas. Será possível, pois, a um pai se deter a atender as pequenas exigências de uma criança que, inclusive, depende, ela também, financeiramente, do trabalho desse pai ou mãe? E, me pergunto, será que esta é a forma adequada de se educar — fazendo todas as vontades, independentemente do que elas representem em termos de desgastes inúteis, emocionais e financeiros? Será que é realmente necessário para a realização dos nossos filhos discutir ou satisfazer todos os seus sucessivos desejos? Claro que, se não estamos com pressa, se temos tempo, disponibilidade financeira, infra-estrutura para atender a essas pequenas necessidades, ótimo! Acho até que devemos. Mas, se não for possível, ou se você não estiver com vontade, não se obrigue. Explique claramente a situação a seu filho. Fale com carinho, porém com firmeza, coloque-se também se estiver cansado ou sem vontade de fazer algo. Assim como a criança sabe reivindicar, sabe também, e, em geral, com muito boa vontade, compreender. Pena que poucos pais hoje façam uso dessa coisa simples na sua relação com os filhos: conversar franca, amigável e honestamente.

Não menosprezemos nossos filhos. Sejamos firmes, mas não indelicados. Seguros, não agressivos. Apenas isso. Reocupemos o espaço necessário a que duas personalidades convivam. Nunca uma ou somente uma. Esteja certo: Nenhuma das modernas teorias de Educação ou Psicologia pretendeu, em nenhum momento, sujeitar os pais a caprichos sem fundamento dos filhos, nem transformar os adultos em meros executores dos desejos das crianças.

Costumo observar os pais com seus filhos. Muitas vezes presenciei cenas mais ou menos semelhantes à que se segue:

Estávamos numa piscina; em determinado momento, uma das crianças dirigiu-se ao pai e pediu-lhe que entrasse com ela na água. Nada mais natural: é muito gostoso brincar com nossos filhos. É delicioso rir com eles, assistir aos seus progressos, aliar-se a eles em suas pequenas travessuras, conviver.

Acontece porém que nesse dia o pai não queria se molhar. Estava batendo um papo gostoso com os amigos e já atendera a muitos outros pedidos do menino, interrompendo, por várias vezes, a conversa agradável que estava tendo. Ao ouvir o primeiro "não", o filho iniciou uma verdadeira batalha: mil argumentos e artifícios foram utilizados para obrigá-lo. Ameaças, choros, zangas, gritos, carinhos etc. foram atitudes que se alternaram. Como sempre fizeram e farão as crianças. É muito comum, dada a própria imaturidade, que não se conformem de pronto frente a uma negativa. Mas neste caso, e aqui sim, diferentemente de outras épocas, o que tenho visto é o seguinte: ou os pais "obedecem" prontamente (há filhos que sabem realmente educar os pais) ou, após algumas desculpas infrutíferas tipo "daqui a pouco", "a água está fria", "não quero molhar o cabelo" etc., acabam cedendo. Foi o que aconteceu nesse caso. Pode ocorrer, ainda, uma outra coisa: uma descompensação emocional, após dez minutos de renhida insistência. Aí, um grito ou até uma palmada tentam encerrar a questão. Em geral, esta é a pior forma de conduzir a questão. Geralmente, só provoca um tremendo escândalo, criando uma situação tão desagradável frente aos demais que, envergonhados, os pais acabam cedendo, para, assim, encerrar a situação constrangedora.

Quando isso ocorre, em geral, os pais costumam buscar desculpas para sua atitude, pois percebem claramente que perderam a batalha, apesar de todo o desgaste. Ao cederem, às vezes sentem-se aliviados, até felizes, pois é grande e clara a satisfação que a criança demonstra. Enganam-se os que pensam que a alegria é referente ao fato de o pai ter, finalmente, entrado na piscina. Na verdade, o prazer infantil advém, naquele momento, da vitória que obteve, do fato de sentir-se mais "forte" que o pai. Infelizmente, trata-se de um alívio fugaz: a experiência mostra que esta satisfação é apenas aparente. A ela seguir-se-ão novas exigências, para que o controle alcançado possa continuar a ser exercido. Na realidade, agindo assim, estão apenas estimulando seus filhos a voltarem a insistir sempre, porque a insegurança que eles deixam a criança perceber faz com que se redobre a necessidade de buscar segurança em pais seguros, que não referendem a premissa de que eles podem ser dominados.

Em outras palavras, quanto mais nos mostrarmos inseguros, quanto mais dermos motivos para que nossos filhos nos vejam como pessoas que realmente não acreditam no que fazem, mais eles terão necessidade de agir de forma a investigar e derrubar este tipo de suspeita, porque somos nós que lhes damos segurança e, portanto, se eles nos vêem como pessoas inseguras, eles também se tornam inseguros.

A criança quer e precisa sentir segurança nos pais, porque disso depende a sua própria.

Atender à necessidade de companhia de uma criança é natural. Como já disse, é até muito gostoso. O que não pode acontecer é a total submissão/dominação de um pai por um filho. Os adultos, quando assim agem, o fazem impulsionados pela idéia de que não se deve ser exigente, rígido ou taxativo com as crianças. O que é preciso ver é que existe um *continuum* vasto que vai de um extremo a outro. Uma coisa é atender a um filho porque ele precisa de amor, alimento, calor, segurança. Mas o próprio item "segurança" ficará inteiramente desatendido se os pais passarem a fazer *todas* as vontades dos filhos *sempre*, mesmo que não haja qualquer justificativa real para isso, a não ser a própria insegurança. Espera-se dos pais que eles, adultos, tenham suficiente equilíbrio e bom senso para perceberem a hora em que uma negativa tem um efeito pedagógico muito mais eficaz do que todas as vontades que se lhes façam. Se a criança está apenas testando os seus limites, fenômeno que ocorre desde os primeiros anos de vida até a juventude, é bom que os pais estejam intelectual e emocionalmente preparados para mostrar claramente quais são esses limites. Sentir limites é para a criança uma questão de segurança — uma necessidade básica. Não estabelecer limites é uma opção que um pai pode fazer. Mas é importante que, se o fizer, o faça sabendo que, ao contrário do que possa parecer, é também através dos limites que a criança percebe que alguém se preocupa com ela e a protege. O limite faz com que ela perceba também que esse alguém é um alguém forte, que sabe e tem segurança do que faz. Além disso, se nos mostrarmos inteiros, com direitos, também nos revelamos aos nossos filhos como seres humanos, exatamente como lhes mostramos que eles são. Somente com direitos e deveres de ambas as partes é que se poderá construir uma relação equilibrada, saudável e democrática.

Os pais podem portanto revelar suas vontades, desejos e insatisfações de modo claro e direto, exatamente como fazem as crianças. Sem medo de que isso possa prejudicar a formação dos filhos. Ao contrário, acredito que essa forma de agir só irá estreitar os laços entre pais e filhos, porque, sendo autênticos, os pais farão menos "sacrifícios inúteis", que é como chamo as pequenas concessões que muitas vezes fazemos. Aqueles que as recebem nem notam que, na verdade, você deixou de fazer algo que queria (ou fez algo que não queria). Quando fazemos esse tipo de "sacrifícios", vamos, mesmo que inconscientemente, contabilizando essas doações, esperando algum tipo de retribuição que, muitas vezes, não vem. Não vem por muitos motivos, mas, principalmente, porque talvez nossos filhos nem saibam dessa "dívida" que têm conosco. Portanto, acho muito mais saudável para a relação que só se façam doações que realmente queiramos fazer. Com isso, nossos filhos nos conhecerão melhor, acreditarão mais em nós e, principalmente, passarão a nos ver como pessoas, não apenas como "meu pai" ou "minha mãe".

Não estou defendendo qualquer postura autocrática dos pais, ou uma volta ao passado, uma relação em que os pais não questionavam nada ou quase nada, em que os filhos pouco ou nenhum espaço tinham para dialogar. Absolutamente. O que combato são as situações em que os pais fazem coisas ou tomam decisões apenas porque lhes faltam perspectivas, porque estão sem respostas, sem caminhos, ou porque, embora contrafeitos, acreditam que devem agir assim.

III

Os pais e a literatura sobre educação

São vários os fatores que levam os pais a sentirem-se inseguros.

Os livros, revistas e artigos que pesquisei mostram, de maneira geral, uma tendência à supervalorização dos aspectos psicológicos da criança, praticamente ignorando os demais aspectos da relação pais-filhos. Embora acredite não haver um propósito, uma intenção formal a esse respeito, na prática o que acaba ocorrendo aos que os lêem é uma visão unidimensional de algo que, na verdade, apresenta muitos outros aspectos a serem considerados.

Essa abordagem caracteriza o que chamamos em Educação de "psicologismo". O psicologismo é uma forma deturpada de se encarar a realidade, na qual os aspectos psicológicos assumem uma proporção maior do que têm verdadeiramente. No psicologismo, tudo é visto, analisado e apresentado do ponto de vista psicológico. Assim, um todo formado de muitas partes (a relação pais-filhos) é analisado somente sob um enfoque (no caso, o psicológico), ignorando-se ou subestimando-se a existência de outras variáveis intervenientes no processo*.

Quando se analisa uma obra em sua totalidade, um livro, por exemplo, pode-se perceber que, em geral, o autor apenas pretende alertar os leitores no sentido de evitar possíveis problemas. Entretanto, quando se está envolvido com a educação dos nossos filhos, exatamente naquele momento em que você se zanga com um deles, proíbe alguma coisa, se aborrece ou perde o controle, voltam à nossa mente os problemas que determinada atitude poderá acarretar à criança. Nesse momento, qualquer tentativa de ação racional torna-se praticamente impossível, e nós, pais, sentimo-nos "miseráveis", "monstros" ou algo semelhante.

Esse sentimento incômodo de fracasso, em geral, conduz os pais a uma revisão de suas atitudes. Porém, aquilo que, em princípio, é uma coisa altamente positiva — a revisão dos nossos atos —, quando ocorre influenciado pelo psicologismo acaba se tornando negativo, porque os pais passam a agir, na maior parte das vezes, de forma a evitar remorsos ou culpas, perdendo grande parte da espontaneidade que deveria caracterizar a relação.

Parece-me não haver dúvidas quanto ao fato de que *os pais de hoje não são e nem serão como seus pais foram.* Esta é uma outra geração de pais. Mais ainda: é a geração que está vivendo a transição para uma outra postura. O produto final dessa transição ainda não está pronto nem definido; mas, sem dúvida, há uma mudança substancial em andamento.

Estudando diversos tipos de publicações a respeito de educação de crianças, verifiquei que as publicações clássicas, que

*M.M.C. Alvite, *Didática e psicologia.*

orientaram nossos pais (a maioria escrita por pediatras), definiam claramente quais as atitudes que os pais deviam ter nas mais variadas circunstâncias. Por exemplo: "amamentar o bebê de três em três horas. Nos intervalos, dar apenas água ou chá". A mãe, sob esta orientação, se sentia, evidentemente, mais segura para enfrentar o choro do bebê, se ocorresse. Atualmente, a tendência observada nas obras dedicadas ao assunto preconiza, por exemplo, que "cada filho é um filho, cada momento, um momento", e que, a partir daí, os pais deverão decidir qual o comportamento mais adequado a cada situação. Ocorre que os pais não sabem que forma é essa, especial e específica para cada ocasião. E não sabem porque faz parte dessa própria orientação não apresentar nada definido. Decidir a cada momento qual a conduta que se deve ter é muito mais difícil do que quando se tem a "fórmula" para todas (ou quase todas) as situações.

Não se trata de discutir qual a orientação correta. Somente a prática nos mostra o que está certo, o que deu certo. Trata-se, antes, de deixar claro que, sem dúvida nenhuma, a posição dos pais hoje é bem mais complicada e difícil. Criar mil formas diferentes de agir determina, sem dúvida, maior insegurança na prática diária. Quando os especialistas diziam aos pais como agir, eles estavam assumindo a responsabilidade pelas ações dos pais. Se alguma coisa "desse errado", a culpa não era dos pais, porque eles estavam seguindo a orientação dos *experts*. Portanto, a culpa se tornava muito menor. Agora, quando os especialistas passam para os pais as decisões, estão passando também a total responsabilidade pelos seus atos. De fato, quando se decide só, assume-se a conseqüência também só. Em se tratando da vida dos nossos filhos, não há dúvida, dá muito medo. Porque é uma coisa que não admite segunda chance. Quando erramos no trabalho, sempre há condições de refazer o malfeito. Mesmo que sejamos despedidos, sempre podemos conseguir outro emprego. Mas quando se trata da vida dos nossos filhos, não há possibilidade de "apagar" os erros e dizer-lhes: "Olha, filho, não era assim que eu queria educar você, vamos começar tudo de novo." O que fizermos estará feito. Portanto, não se pode errar. E, assim, o medo se torna muito maior. E a culpa, conseqüentemente, também.

Vejamos algumas das coisas que "ficaram" na mente dos pais de hoje, em função das novas informações veiculadas:

"Não se deve ter horários para a alimentação: a criança deve ser amamentada na hora em que tiver fome." "Não se devem coibir as iniciativas da criança, porque poder-se-á torná-la frustrada." "Não se deve dizer 'não', porque pode-se podar a criatividade infantil." Ora, alimentar um bebê de três em três horas é bem mais fácil do que fazê-lo sempre que ele o desejar. Até porque, o único meio de comunicação dos bebês é o choro; portanto, dentro dessa nova orientação, qualquer choro pode ser fome e aí... O medo de errar, de não ser um "bom pai", torna-se um elemento fundamental, a mola mestra das ações. Naturalmente, o resultado não pode ser muito bom.

Colocar em prática todas essas teorias, todas as recomendações em geral tão liberais torna muito mais difícil, às vezes até aflitiva, a tarefa de educar. As decisões têm que ser tomadas a cada momento, e as orientações que a maioria dos livros sobre o assunto traz não se estruturam em regras como anteriormente, deixando aos pais a tarefa de "descobrirem" sozinhos o melhor caminho.

Adiante terei ocasião de ilustrar o que afirmei.

Sem certeza de nada, os pais passam, por insegurança, a atender aos mínimos desejos dos filhos, invertendo o modelo anterior, que se caracterizava justamente pela rigidez e inflexibilidade.

É importante dizer que esta forma distorcida de encarar as coisas não é a proposta das correntes de Psicologia e de nenhuma das correntes de Educação contemporâneas. A maior parte delas recomenda equilíbrio na relação, não a "obediência" dos adultos às crianças. Estimula-se a que os pais ouçam e atendam às necessidades dos filhos, mas isso não significa, por exemplo, comprar todos os brinquedos que a criança quer, atender aos mais extravagantes pedidos ou deixar-se dominar por ela, temendo frustrá-la ou torná-la pouco criativa.

Transcrevo, a seguir, trechos de algumas obras modernas, comentando-as a fim de mostrar como determinadas afirmações que a princípio parecem claras e simples, quando lidas por pessoas pouco acostumadas a determinados termos técnicos, ou quando tais informações somam-se ao estado de intranqüilidade de alguns pais frente a tantas mudanças, podem gerar inúmeras confusões de interpretação. Além disso, muitas obras são escritas de forma que parecem considerar que os leitores dominam determinados conceitos, quando isso nem sempre é verdade.

Em seu livro *Orientação psicológica para os pais*, Elsie Osborne afirma:

> "... há provas, embora escassas, de que os filhos de pais severos tendem a procurar aprovação constante para seu comportamento. Pais muito severos parecem levar seus filhos a dois tipos de comportamento na escola e na vida — ou são muito perseverantes ou desistem com facilidade... Pais muito severos desencorajam características como iniciativa e independência, porque estabelecem regras de conduta rígidas demais... Pais permissivos têm filhos mais amigos e espontâneos, com reações menos intensas e mais saudáveis diante do sucesso ou do fracasso."

Quando a autora diz que há provas (escassas) de que filhos de pais severos tendem a necessitar de aprovação constante, transmite a idéia de que, sendo severos, transformarão, OBRIGATORIAMENTE, seus filhos em seres inseguros.

É exatamente esse tipo de afirmativa que se torna problemática para os pais. Afirmativas como essa dão a entender que existe uma relação causa-conseqüência inevitável, quando na verdade o que existe realmente são "PROVAS ESCASSAS". Portanto, a atitude citada pode ou não ocorrer.

Acontece que afirmando da forma que o fez, referindo apenas de passagem que as provas são escassas, a autora transforma o que é realmente fundamental (as poucas provas) em secundário e o que seria apenas uma probabilidade remota em algo palpável, concreto, categórico.

É preciso muito equilíbrio emocional e muita vivência em Psicologia para que se coloquem tais afirmativas em sua verdadeira dimensão. Se se diz taxativamente que os pais muito severos desencorajam a iniciativa e a independência das crianças, parecerá, sem dúvida, à maioria dos leitores que se está dizendo "não sejam severos". Na verdade, a proposta é: não sejam severos, se isto não for realmente fundamental, ou não sejam DEMASIADAMENTE severos.

Quando se trata de decidir se a criança deve ou não usar um agasalho numa cidade como o Rio de Janeiro, por exemplo, onde nunca está tão frio, pode-se não ser severo. Aconselhar, não obrigar. Na realidade, dependendo da situação e da idade, é mesmo justo que se deixe a criança decidir sobre isso. É conhecido o dito popular de que as mães vestem casacos nos filhos quando elas próprias sentem frio. Aliás, acho que não poderia ser de outra forma. Como sentir o frio dos outros? Realmente, o padrão é a nossa sensação de frio, o que não impede, no entanto, que, se a criança protesta, alegando que está com calor, se dê a ela a oportunidade de decidir, principalmente se considerarmos a grande movimentação em que elas vivem. Portanto, é normal que sintam menos frio que os adultos, muito mais sedentários.

É a esse tipo de rigidez, de severidade desnecessária e persecutória que a autora se refere. Não o faz, no entanto, com a clareza que seria ideal, deixando pouco claro o limite entre ser severo demais ou liberal demais. E esse é um problema que pude observar com bastante freqüência na literatura especializada e na imprensa em geral, o que gera mais insegurança nos pais. As idéias são apresentadas de forma maniqueísta: "aja assim, senão acontece isto", "aja assado, que não acontece". Na verdade, poucas são as obras que se apresentam como MAIS uma forma de encarar um determinado assunto. Poucos são os autores que mostram com clareza aos pais que a postura que apresentam é UMA DAS POSSÍVEIS FORMAS DE SE VER A REALIDADE. Então, os pais mais desavisados passam a encarar o que leram como verdade absoluta. Entretanto, muitas das teorias expostas nos livros podem até ser questionadas, já que grande parte delas não se respalda em pesquisas científicas, e sim em observações pessoais e empíricas.

Há ainda um outro fator a ser observado. Hoje em dia, no meio em que vivemos, a liberalidade é grandemente incentivada. Torna-se pois difícil para os pais discernirem em que situação devem ou não ser severos, porque a severidade passou a ter uma conotação negativa, sendo encarada como uma forma de autoritarismo, o que agrava a insegurança dos pais quanto à tomada de decisões.

Por outro lado, deixar uma criança tomar todas as decisões sobre sua vida é, pelo menos, perigoso para a sua própria segurança. Na verdade, é muito mais do que isso — é uma irresponsabilidade.

Então, é importante que os pais saibam exatamente o que consideram fundamental. Só assim terão condições de decidirem-se frente a cada situação: quando estiverem claramente definidos os princípios educacionais que querem seguir.

Outro aspecto a ser considerado na afirmativa em questão é o determinismo que ela encerra: "pais severos — filhos dependentes e sem iniciativa." Trata-se de um pré-juízo, um raciocínio prévio, que como tal deve ser encarado. Todo juízo apriorístico é extremamente perigoso, porque estabelece uma lei, uma regra que a própria prática poderá desmentir. Filhos de pais severos podem realmente tornar-se dependentes e inseguros, *da mesma forma que os filhos de pais permissivos podem apresentar as mesmas características*. A forma pela qual cada criança decodifica e interioriza as atitudes paternas é extremamente pessoal e depende de inúmeros fatores. Basta que se comparem crianças de uma mesma família. Enquanto umas distinguem-se pela criatividade, pela aptidão artística, outras apresentam outras capacidades, opostas ou não, embora sofrendo o mesmo tipo de influências. Felizmente muitos são os fatores que influenciam na formação de uma personalidade. Nunca apenas a atitude dos pais.

> "... Quando você é inconstante, o comportamento de seu filho será, quase sempre, um mau comportamento, pois ele a estará testando para ver até onde você irá."

Esta afirmativa do psicólogo Lee Salk, no livro *O que toda criança gostaria que seus pais soubessem*, vem ao encontro das colocações que fiz anteriormente. Os pais devem ter um padrão coerente de ações em relação às crianças, ao que lhes permitirão ou não fazer. Uma mesma criança é capaz de agir de forma diferenciada com adultos que apresentam comportamentos diversos em seu relacionamento com ela. Sabe, por exemplo, se pode insistir ou teimar com a mãe quanto a um programa de TV que, normalmente, não lhe é permitido assistir, mas que já lhe foi liberado em alguma ocasião anterior (para que os pais possam ir ao cinema à noite e a criança não chore ao vê-los sair). A criança discerne claramente quando lhe foi feita uma concessão com base numa espécie de chantagem emocional e quando a liberação de uma regra deveu-se a fatores com bases mais sólidas. Na primeira hipótese, a criança volta a insistir no assunto numa próxima ocasião, porque percebe que existem momentos em que os pais cedem. Com outra pessoa qualquer que mantém um comportamento regular firme, dificilmente ela tocará no assunto. E, caso o faça, saberá reconhecer, pelo tom com que é emitido, se o "não" é definitivo.

É impressionante o grau de percepção que as crianças têm das fraquezas e inseguranças dos adultos, bem como da sua segurança. É de suma importância, portanto, que os pais tenham algumas regras básicas estabelecidas. Somente assim terão condições de agir coerentemente com elas. É evidente, por outro lado, que quando se tem dúvidas quanto à sua importância, não se lutará por elas. Por isso é fundamental que essas "regras" só sejam fixadas para as coisas realmente importantes. Tudo que não oferecer risco ou não for essencial pode e deve ser deixado à decisão da própria criança. Não é positivo impedir uma criança de assistir à TV porque *você* não está disposto a ouvir barulho. Aí estaremos considerando apenas o nosso interesse e tendo uma atitude impositiva, injusta, da qual a criança se ressentirá. Entretanto, é diferente impedi-la de assistir a um programa nitidamente impróprio para aquela idade. Nestes casos, a proibição deve vir acompanhada de uma explicação carinhosa, porém firme e decidida, que não suscite discussões a respeito. Trata-se, evidentemente, do interesse pelo bem-estar físico e emocional dos nossos filhos, e isso deve estar cima de qualquer dúvida, deve ser suficiente para que nos sintamos seguros, a ponto de não ceder, talvez nem mesmo discutir novamente o assunto.

É preciso reconhecer que os adultos somos nós, e isso faz com que tenhamos que assumir tal papel. É bastante razoável aceitar que, mais vividos, saibamos melhor o que é mais saudável e seguro para nossos filhos. Muitos pais, lendo o que escrevi, talvez se surpreendam, porque lhes parecerá óbvio demais este tipo de colocação. Maior porém foi a minha surpresa ao ver a dificuldade que alguns (muitos) pais têm com relação a estas aparentemente claras e óbvias questões.

E maior ainda foi o meu espanto ao constatar que, muito freqüentemente, estas dúvidas nem são dúvidas: muitos o fazem por não terem a menor consciência de que agem assim. Estão de tal forma impregnados por teorias, digamos, "pseudodemocráticas" ou que acreditam ser "modernas teorias de educação" que não percebem as incoerências que vivem no dia-a-dia. Agem na melhor das intenções, sentindo-se muitas vezes cansados, espoliados até, pelo atendimento contínuo às incontáveis exigências infantis, mas nem pensam em deixar de fazê-lo, porque acreditam firmemente que estão fazendo o melhor. Às vezes, explodem, mas depois arrependem-se, culpam-se amargamente, e voltam a atendê-las, criando um círculo vicioso de ações contraditórias que apenas levam os filhos à insegurança.

As teorias que, subliminarmente, tentam, com discurso aparentemente democrático, subverter a afirmativa simples e clara de que, até que se tornem jovens com maturidade para gerir seus destinos, as crianças devem ficar sob a responsabilidade dos pais tornam, cada dia que passa, mais difíceis as relações entre pais e filhos, confundindo-os e multiplicando *ad infinitum* a tarefa de educar, que nunca foi pequena nem simples.

As atitudes dos pais não devem ser ditadas por sentimentos momentâneos ou circunstanciais, como: "hoje não estou com paciência para discutir"; "só uma vez não faz mal"; "já me aborreci muito hoje no trabalho"; "ele está doente; tadinho!" Todas elas são desculpas que damos a nós mesmos, para justificar a nossa fraqueza e insegurança — e que nos trarão muitos aborrecimentos adicionais, por denunciarem a dubiedade de nossas atitudes.

Continuando na mesma obra citada, podemos ler, mais adiante:

> "... Muitas mães que trabalham usam seus empregos como desculpa para sua pouca disposição de assumir as responsabilidades da maternidade. Tendem a diminuir as vantagens da maternidade e enaltecer as virtudes de todas as outras atividades." (p. 173)

Pobres mães... Como se já não bastasse a luta constante que travam com a sociedade, com os maridos e até com outras mulheres, quando escolhem uma vida em que a maternidade e o casamento não são os únicos objetivos, ainda têm que enfrentar acusações deste tipo!... Isso se não considerarmos a situação atual da mulher no mundo. Na maior parte dos países, o trabalho da mulher tornou-se uma realidade, uma necessidade, e não uma atividade de "dondocas" ou de pessoas que desejam fugir às suas responsabilidades. Além do mais, esta afirmativa é especialmente cruel, ao ignorar que a maior parte das mães ou esposas que trabalham fora enfrenta (e em geral com galhardia) uma dupla jornada de trabalho. São muito poucas as que trabalham contando, ao regressar a casa, com uma infra-estrutura (geralmente de outra mulher) que lhes permita, como aos homens, sentar-se e ser servidas, encontrando tudo "prontinho", casa limpa, comida feita e quentinha, roupa passada, compras feitas. Cabe à grande maioria o recomeço do trabalho, agora representado pela casa, marido e filhos. Seja ela a profissional que for, nível médio, superior ou quaisquer profissionais não-especializadas, são elas que, mesmo terminada a dupla jornada, ainda levantam à noite, quando um filho chora ou adoece. Por uma questão de justiça, é preciso ressalvar aqueles homens que já hoje em dia dividem ou procuram dividir as tarefas domésticas e a educação dos filhos com a companheira. Mas ainda são poucos!

A generalização contida no texto citado, além de totalmente acientífica, pretende ignorar que grande parte das mulheres que trabalham fora hoje em dia o faz porque é cada vez mais importante a contribuição que trazem para o orçamento familiar: e, ao fazê-lo, ainda interpreta o fato como algo motivado por sentimentos menos nobres e até vergonhosos. Eu só gostaria de saber EM QUE, por Deus, este autor baseou-se para fazer tal afirmativa? E a cabeça das mães que trabalham fora, ao lerem tal absurdo, como fica?

Na mesma obra, lemos ainda:

> "... É de máxima importância que você evite comparar a morte com o sono. Muitos pais descrevem a morte como sendo um 'sono longo'. Compreensivelmente, essa criança começa a ter medo de adormecer à noite. Na melhor da hipóteses, ela poderá ter só pesadelos." (p. 177)

Este é um exemplo claro de que, em muitas obras, a orientação aos pais é feita apenas ou principalmente por exclusão — "não faça isso, não faça aquilo", sem que se diga o que e como fazer para agir segundo o que o autor considera "o correto". De uma maneira geral, as crianças com desenvolvimento cognitivo e afetivo normais são perfeitamente capazes, salvo evidentemente as muito pequenas, de perceber uma metáfora. Quando se diz a elas "parecido", elas sabem que não estão lhes dizendo "igual".

É de se notar também o determinismo da afirmativa: "... essa criança começa a ter medo de adormecer à noite. Na melhor das hipóteses, poderá ter só pesadelos". É natural que uma afirmativa deste teor transmita insegurança aos pais. Aqueles então que tiverem feito a comparação a que se refere o texto sentirão sem dúvida muita culpa quando um filho não quiser dormir à noite, por um ou outro motivo, e certamente atribuirão à imagem do sono/morte a falta de vontade de dormir de agora, que pode ocorrer com qualquer pessoa, por inúmeros motivos mais simples, tais como o desejo de não interromper uma brincadeira que está sendo agradável, ou a simples vontade de permanecer acordado, junto aos demais. Nem sempre nossos filhos desejam ficar acordados por problemas psicológicos do tipo "complexo de Édipo". Às vezes, eles simplesmente podem estar realmente sem sono. Lembremo-nos disso!

Como conseqüência menos grave, o texto aponta, como melhor das hipóteses, "ter somente pesadelos". Entre dois-três e seis-sete anos, as crianças costumam ter pesadelos com certa freqüência, independentemente de terem os pais participação direta. Trata-se de fase em que quaisquer imagens ou relatos podem aguçar a fantasia. Os motivos podem existir concretamente ou não.

Como exemplo, posso relatar o que ocorreu ao meu filho, que aos dois anos e meio assistiu a um anúncio na televisão em que uma gigantesca mão penetrava pelo telhado de uma casa e tocava o chão, tornando-o muito brilhoso. Era uma propaganda de cera para assoalhos. Ao assistir à propaganda, meu filho nada revelou em termos emocionais. Mas, na mesma noite, acordou muito assustado e chorando com medo do gigante "que queria pegá-lo". Foi difícil acalmá-lo. Só adormeceu novamente no meu quarto, deitado ao meu lado. Várias noites seguiram-se, e ele apresentou o mesmo comportamento. Tentei conversar sobre o assunto, mas somente dias depois pude compreender que, além do anúncio propriamente dito, que então identifiquei como causador do problema, ele fizera uma associação com uma almofada bem grande que havia no quarto, cuja forma era de uma mão enorme. Apesar de gostar muito da almofada, com a qual brincava seguidamente, ao assistir ao anúncio e, em seguida, ao acordar à noite e deparar-se com a "mão-almofada", estabeleceu uma relação fantasiosa, aliás bem compreensível. Foi difícil vencer o medo. Requereu muita paciência e perspicácia até que consegui identificar a ligação entre dois elementos, a princípio tão diversos. Evidentemente, meu filho não tinha consciência do que o estava assustando, nem nós, a princípio, poderíamos imaginá-lo. Descoberta a causa, meu marido e eu tiramos do quarto a almofada. Algumas semanas mais e pouco a pouco ele foi recuperando a tranqüilidade. Modificamos, inclusive, a disposição dos móveis, de modo a facilitar o descondicionamento.

Do que foi relatado, o que gostaria de ressaltar é que, se uma pessoa ama verdadeiramente seus filhos e com eles se preocupa, é consciente e cuidadosa, ao ler um texto com afirmações tão taxativas, tão sem alternativas (ou não dormirá ou terá pesadelos), sentir-se-á muito insegura e com muito medo das reações dos filhos às suas atitudes. Cada ação será pensada, repensada, avaliada.

Defendo que se pense, mas também que se aja com segurança, sem medo. Coisa que os pais fariam sem maiores preocupações passam a constituir fonte de angústia e ansiedade. Além de o fato em si ser extremamente prejudicial para os pais, que dessa forma perdem grande parte da espontaneidade com os filhos, há ainda o fato de a criança, percebendo a situação, também sentir-se insegura, já que são os pais sua fonte quase que exclusiva de segurança. Pensar e repensar nossas atitudes deve conduzir-nos a uma prática positiva e autêntica, nunca a uma situação conflitiva. Quando isso estiver ocorrendo, é sinal de que precisamos buscar as causas dessa insegurança, aprofundar mais nossa reflexão, esgotar nossas dúvidas e questionamentos.

Outro exemplo de afirmativas desse tipo encontramos à página 98, do mesmo livro do Dr. Lee Salk:

> "... Devo preveni-la de que haverá momentos em que você se perguntará se o seu bebê vale todo este trabalho. Você terá a tentação de não lhe dar atenção, para que ele aprenda que nem sempre estará disponível para cuidar dele. Mas não ceda à tentação. Só estará correndo o risco de o ver fazer fita quando você chega perto dele. Os estudos revelam que pais pouco carinhosos no fim têm que se haver com bebês que se afligem quando os pais chegam junto deles."*

Ah, a culpa que se joga nos ombros dos pais! O que significa, na verdade, ser POUCO carinhoso? Esta medida é extremamente pessoal. Depende do enfoque de cada um. Há pessoas que, por serem muito carinhosas e afetivas, sentirão maior necessidade de dar e receber carinho. Outras, que podem igualmente ser ótimos pais, podem ser mais reservadas sob este aspecto. Por outro lado, é também muito natural e, antes de tudo, é humano que qualquer pai, em algum momento, as mães sobretudo, sinta-se desanimado, cansado, exaurido. Principalmente no início, quando se tem um bebê e passa-se noites e noites insone.

---

*Lee Salk, *O que os pais devem saber.*

Felizmente, porém, se há algum desânimo, em geral ele é imediatamente esquecido ao mais simples e leve sorriso do bebê, o que torna irrisório, em termos de conseqüências, um ou outro momento de irritação. Mais ainda, afirmo que, exceto em casos patológicos, não provocará a atitude neurótica descrita acima.

"Não ceda à tentação", diz o autor. Que tentação? A de sentir-se cansada, desanimada, vez por outra? E, ainda mais, pergunto-me, existe alguma possibilidade de se deixar de sentir o que verdadeiramente se sente? Além disso, para o bebê, fará realmente alguma diferença se o pai demonstra um sentimento ou o mascara? Na minha experiência, não. Antes de tudo, as crianças têm uma incrível capacidade de perceber os sentimentos dos pais e facilmente detectam quaisquer mudanças de atitudes. Portanto, se um pai está cansado ou desanimado pelo choro ininterrupto do bebê, pela teimosia da criança ou pela contestação incansável dos adolescentes (enfim, pela trabalheira mesmo), não estará condenado à rejeição eterna dos filhos. Considerando, evidentemente, que esse sentimento não conduzirá a nenhum tipo de agressão física ou verbal, nem a quaisquer situações de desamparo à criança, pode-se encará-lo simplesmente como um sentimento momentâneo, que, como tal, é experimentado por todos os pais em algum momento de sua longa e ininterrupta jornada, o que não os condenará para o resto de suas vidas.

O que vale, o que conta realmente é a qualidade das relações, a enormidade de vezes em que se dedicam, abnegadamente, de corpo e alma, com a maior boa vontade, aos filhos. Aquilo que acontece no dia-a-dia é o que predomina numa relação. Se alguém sente-se cansado um dia, mas em todos os outros não, isso é que vai contar. Agora, se a pessoa apresenta-se sempre de má vontade, ressentida, impaciente, então esta será a tônica da relação. As crianças percebem e entendem muito bem qual a característica básica de cada relacionamento. Não as julguemos uns monstrinhos sem alma, egoístas e sem sensibilidade. Elas seguramente não o são, a não ser que assim o queiramos.

Trechos de alguns livros dão a nítida sensação de que quem os escreve nunca teve ou criou filhos. É fácil ditar regras quando se está de fora. Difícil é operacionalizá-las. E isso cabe aos pais, e eles, mais do que ninguém, podem, portanto, compreender o quanto é difícil atravessar certas situações. Preservadas as condições de assistência necessárias ao bom desenvolvimento integral de nossos filhos, os pais podem, com segurança, preservar o seu próprio espaço enquanto indivíduos.

Estabelecer hábitos — uma certa rotina, algumas regras — é perfeitamente válido e não traz nenhum prejuízo para as crianças; pelo contrário. Na medida em que os pais organizam a vida familiar de forma a que todos (e isso é que é importante — TODOS) sintam-se respeitados, só haverá lucro para ambas as partes. Estabelecer estas regras requer, no entanto, uma grande dose de paciência e determinação. Requer também muita segurança, objetivos claros e definidos. Além, evidentemente, de muito diálogo e boa vontade entre as partes envolvidas. Essas regras, de preferência, devem ser estabelecidas conjuntamente, entre pais e filhos. Cada um deverá colocar, com franqueza, os aspectos que lhe parece fundamental que sejam observados pelo outro. Depois de discutidos e aprovados, poderão ser colocados em prática.

Muitas amigas minhas freqüentemente admiravam-se do fato de meus filhos terem "hora de dormir" e indagavam como eu conseguia semelhante proeza, que elas, afirmavam, jamais haviam conseguido. Ficavam sempre ansiosas à noite, "esperando a hora em que seus filhos literalmente desmaiavam" de cansaço. Embora desejassem ter algum tempo à noite para dedicar a si e a seus maridos, não conseguiam estabelecer este tipo de organização em suas vidas.

Como eu conseguia semelhante proeza?, perguntavam-me. Não há segredo, nem é uma "proeza". Apenas duas coisas, duas CERTEZAS: a primeira, de que realmente eu sabia que era bom para eles dormir de oito a dez horas por dia, de acordo com a faixa etária. Já é sabido, por exemplo, que o hormônio do crescimento é secretado durante o sono noturno. Esses e outros dados eu sabia pelos meus estudos de Psicologia do Desenvolvimento e pela convivência com meu marido, que é médico, mas principalmente pela prática, que me mostrara o quanto eu estava certa ao determinar a hora do descanso. Depois de uma certa hora da noite, acordados, meus filhos só demonstravam irritabilidade, pouco aproveitando esses momentos.

A segunda certeza, da qual absolutamente não me envergonho, era a de que eu, como mulher com uma carreira, como esposa, como ser humano enfim, tinha também direito a essas gostosas horas noturnas em que podia escolher minha atividade a meu bel-prazer. Essa certeza advinha principalmente do fato de que eu o fazia após horas de dedicação aos meus filhos. Sempre ao voltar do trabalho ou antes, passamos muito bons momentos juntos. As áreas de afeto, segurança, as necessidades básicas, enfim, estavam atendidas. Portanto, naquele exato momento nada lhes faltava, a não ser exatamente... DESCANSAR. Não faltarão os que, ao lerem este trecho, argumentem: na verdade, ela é que estava querendo descansar. A esses afirmo: sim, também eu, mas por que não? Jamais concordei com a tese de que, ao ter filhos, temos de anular-nos, passando a ser única e exclusivamente pais (lembre-se: para se um bom pai, NÃO é preciso PADECER no paraíso. Acho mais adequada a idéia de que ser pai/mãe É O PARAÍSO).

Além disso, do ponto de vista emocional, há uma coisa muito mais importante — tendo uma atitude autêntica, passamos aos nossos filhos a compreensão de que o mundo não é composto somente de pessoas a seu serviço. Saber que existem outros interesses na vida ajuda a minimizar, pouco a pouco, o egocentrismo natural das crianças e jovens.

À medida que, sempre de forma carinhosa, porém segura e firme, os pais estabelecem algumas regrinhas simples, cujo cumprimento é seguido na maioria absoluta das vezes, as crianças vão se acostumando a elas e sentem-se, inclusive, bem dentro desse mundo conhecido, porque lhes dá segurança. Ressalvo que, eventualmente, qualquer regra pode e deve ser posta de lado, desde que, claro, haja um motivo consistente para isso. Regras são para se seguir, mas nada deve ser feito de forma rígida. Regras devem ser aliadas, não senhoras das nossas vidas. Situações surgem em que abandonar momentaneamente as regras é a forma mais inteligente de agir. Superada a situação, elas devem ser novamente incorporadas, porque assim evitamos causar sentimentos de insegurança ou dúvidas, ao mesmo tempo em que reafirmamos a importância que damos ao que foi estabelecido. Convém explicar por que, naquele dia, deixamos de agir como o combinado para que a criança perceba a racionalidade das nossas ações, não lhes dando margem a cogitar se a regra foi abolida ou se esquecemos o combinado.

Uma coisa é ter segurança, outra é ser inflexível. Devemos ser seguros, mas flexíveis. E é justamente a segurança que vai propiciar a flexibilidade. Quando se tem segurança pode-se optar por modificar uma determinada situação, sem medo.

Em resumo, tudo deve ser feito dentro de uma ótica de equilíbrio e bom senso. Os pais, melhor do que ninguém, conhecem seus filhos. Sabem quando o choro tem real significado ou quando é apenas uma arma (e que arma!), um instrumento de manipulação. Não creio ser necessário que cada pai seja um psicólogo, nem que procure agir como tal. Embora seja inquestionável a contribuição da Psicologia, acredito ainda que o amor, o equilíbrio, o bom senso e principalmente uma diretriz segura e objetivos claros sejam o melhor caminho para o entendimento com os filhos, numa relação saudável e harmônica.

Na página 123 ainda da mesma obra, lê-se o seguinte trecho:

> "... Quando os pais me perguntam com que idade podem deixar o bebê para tirarem férias sozinhos, geralmente respondo perguntando: por que não o levam com vocês? Sei que muitas pessoas gostariam de se isolar por uma ou duas semanas e, embora gostasse de lhes garantir que isso não terá efeitos nocivos, não posso fazê-lo. Na verdade, é mais que provável que, quando você voltar, seu filho a ignorará ou talvez tenha regredido em seu comportamento. Pode até ficar deprimido, recusando-se a comer enquanto você esteve fora."*

É evidente que os pais não devem ausentar-se com freqüência, principalmente quando ainda lidam com bebês. Não se pode esquecer, entretanto, que muitos pais se ausentam porque precisam — a trabalho, por motivo de doença ou outros — sem que necessariamente os filhos, na sua volta, encontrem-

*Lee Salk, O *que os pais devem saber.*

se na lamentável situação descrita. Muitas vezes, as ausências são realmente necessárias, portanto não é justo criar culpas, sobretudo porque a atitude da criança exemplificada acima é muito mais rara do que sugere o texto. É preciso separar o joio do trigo. Pais que se ausentam com freqüência, até porque não gostam de estar com seus filhos, são completamente diferentes daqueles que só muito eventualmente partem em viagens, a trabalho ou lazer. No primeiro caso sim, é possível a criança apresentar tais reações porque sente-se rejeitada, frustrada e só. Mesmo assim, a causa do problema não é a viagem, mas a falta de amor na relação.

O segundo caso, de pais que se relacionam amorosa e equilibradamente com os filhos, ao viajarem, independentemente do motivo, certamente só o farão deixando a criança protegida por uma infra-estrutura sólida, tanto do ponto de vista físico como emocional. Aí o mais provável é que, ao retornarem, estejam cheios de amor e carinho para dar, com saudades, e até enriquecidos pela nova experiência vivida.

O mesmo se dará com a criança — ao conviver por um período com uma tia, avó ou outro parente qualquer, ela se enriquecerá sem necessariamente sentir-se ressentida pela ausência dos pais. Tudo depende da forma pela qual se apresenta a situação à criança. Se, desde logo, nos sentimos culpados porque vamos viajar e relatamos o fato de forma a que ela perceba o que está se passando no nosso íntimo, imediatamente ela se tornará dona da situação, fazendo exigências (presentes, brinquedos etc.) ou chorando e fazendo cenas. Mas caso encaremos a viagem como uma necessidade ou um direito e estejamos seguros de que deixamos nossos filhos bem amparados, o fato correrá normalmente, sem maiores problemas.

Em se tratando de crianças normais do ponto de vista psicológico, o retorno ao convívio com os pais será suficiente para reverter qualquer insegurança que porventura tenha surgido. Carinho, conversas e a própria presença dos pais serão suficientes para convencer a criança de que nada demais aconteceu. Isso, é claro, se os pais não estiverem achando que cometeram um crime ao se ausentarem. Aí sim, a criança provavelmente agirá de acordo com o que se espera dela.

Para os pais, os três primeiros anos de vida dos filhos (e mesmo os três seguintes) significam um período de constante doação física e emocional, pela própria dependência que a criança apresenta nesta fase. Em geral, cabe às mães a maior parte das tarefas e encargos. Por outro lado, colocar as necessidades da criança em primeiro lugar não significa não ter necessidades próprias. Significa atender *primeiro* às reais necessidades do filho, e por reais refiro-me às que são reais mesmo — como as necessidades básicas (fome, sede etc.) e mesmo as secundárias (atenção, afeto, realização etc.). Satisfeitas estas necessidades, os pais podem dar-se o direito de atender às suas próprias.

Todas as pessoas gostam de atenção, de sentirem-se amadas. Algumas necessitam mais, precisam ser "eixos do universo". Para uma criança, especialmente as mais novas, os pais detêm, dentro do seu mundinho, um papel vital. Como abrir mão, portanto, da atenção que lhe está sendo dada? Se a mamãe está brincando com ela, acariciando-a, alimentando-a, enfim, atendendo a tudo, colocando-a no centro de todas as atenções, como esperar que espontaneamente ela abra mão disso tudo? É natural. Cabe, por isso mesmo, aos pais a tarefa de analisar, com realismo e clareza, quando chegou a hora de parar. Porque se nós adultos temos tendência a evitar mudanças em situações nas quais nos sentimos confortáveis, como não esperar que a criança faça o mesmo ou até mais? É nesse momento que os pais precisam ter discernimento e segurança para, sem remorsos ou culpas, agirem da forma que for necessária.

A interrupção de uma atividade deve ser feita com suavidade, preparando-se o espírito da criança de forma muito simples: basta avisarmos com alguma antecedência que aquela será, por exemplo, a última partida de damas daquela noite, ou outra forma qualquer de dar-lhe tempo para se acostumar com a idéia. Fundamental é cumprir o que combinamos. Se vamos ceder à primeira tentativa de insistência, então é melhor nem tentar.

Nenhum adulto pode ser criança vinte e quatro horas por dia. Cada um de nós tem necessidades próprias que podem e devem ser atendidas. Brincar com nossos filhos pode ser um momento de grande encantamento, desde que o façamos porque realmente o desejamos. A partir do momento em que se torna uma obrigação, uma imposição que nos deixamos impingir ou que nós próprios nos impingimos, torna-se desagradável e sem qualquer validade para ambas as partes envolvidas.

Sem dúvida os pais vivem, em grande parte, em função dos filhos, até porque eles precisam demais de nós; mas isto não significa deixarmos de viver como adultos, donos das nossas vidas e decisões. Ademais, fazendo tudo o que as crianças querem, estaremos interrompendo o processo gradativo de independência e crescimento delas, bem como nosso próprio projeto individual de vida. Tornar-se pai não deve limitar o indivíduo, mas fazê-lo crescer, ser feliz, engrandecê-lo.

Melanie Klein, em seu livro *A educação de crianças à luz da investigação psicanalítica*, afirma:

> "... As descobertas da psicanálise, naturalmente, não suplantaram o trabalho sólido e a observação segura já realizados na educação e na saúde da criança, mas deram maior definição e exatidão à sua aplicação. Mostraram que o crescimento da mente infantil é um processo muito mais complicado do que antes se supunha e que se pode sobremaneira prejudicar este crescimento se se adotar um método de educação que subestime suas complexidades... Há pais que, por ignorância, incorrem em muitos enganos nos pormenores do trato com as crianças e, mesmo assim, estas os sobrepujam triunfalmente..." (p. 7)

Indiscutivelmente as ciências trouxeram contribuições inestimáveis para o conhecimento humano. É sobremodo importante que os pais reflitam sobre a última frase do trecho citado acima, porque ela vem aliviar a culpa que se joga sobre os ombros dos pais, em geral sem maiores complacências! Realmente, é bastante comum encontrarmos jovens que conseguem se estruturar bem, física, emocional e socialmente, apesar de terem vivido anos e anos em ambiente familiar tumultuado e neurótico. Convém lembrar que o oposto também pode ocorrer. Pais equilibrados e atentos não estão a salvo de terem filhos desajustados.

Por isso é importante colocar nas devidas proporções o que pode ser atribuído à ação dos pais e o que não pode. É freqüente na literatura imputar-se aos pais culpas que na verdade nem sempre são de fato "culpas". Primeiro porque não há, na realidade, estudos científicos que demonstrem esta relação de causa-efeito que se pretende; segundo, porque em ciências humanas é bastante temerário fazer-se tais generalizações. Na verdade, sabe-se ainda muito pouco em que percentual a hereditariedade, o social e outros fatores entram na composição da personalidade de cada indivíduo. Sabe-se, decerto, que cada um desses elementos tem seu papel. Mas em que proporção não; é provável que nunca se venha a saber. Talvez este somatório de fatores funcione diferentemente para cada indivíduo. Portanto, antes de afirmar, convém pesar bem: em sua maioria, os pais agem de forma a proteger e educar seus filhos, dando-lhes o que de melhor possuem em termos pessoais e morais, financeiros etc. É uma minoria que priva voluntariamente seus filhos daquilo de que necessitam para o seu desenvolvimento. E quando isto ocorre, grande parte das vezes é por não haver condição financeira, social. Não estão incluídos aqui os casos patológicos; estamos considerando apenas a enorme quantidade de seres humanos que vive de forma mais ou menos semelhante, sem grandes atos ou fatos extraordinários em suas vidas. Sem dúvida, a maioria da humanidade.

Mesmo sabendo que o conceito de normalidade vem sendo bastante questionado ultimamente e sem ignorar as excelentes contribuições dadas neste terreno por Michel Foucault,* por exemplo, é fundamental fazer algumas colocações nessa área. Como mãe, acho especialmente necessário ter algum tipo de "certeza". Que o limiar daquilo que se chama "normalidade" seja questionado, tudo bem. Mas a grande massa das pessoas não vive nesse limiar; ao contrário, vive, a maior parte do

---

*Michel Foucault, *Doença mental e psicologia.*

tempo, agindo e fazendo coisas como todo mundo: comendo, amando, chorando, odiando, trabalhando. Essas são as atividades com que a grande massa das pessoas convive, minuto a minuto. E essa massa de pessoas costuma, apesar das idiossincrasias, agir de forma mais ou menos semelhante, ter um desenvolvimento físico, cognitivo e emocional também semelhante. É a isso que chamaremos "normalidade", para efeito deste estudo.

Voltando a discutir o texto de Melanie Klein, se um pai "comete um engano" "por ignorância ou desconhecimento", isto dificilmente comprometerá "catastroficamente" a educação dos filhos. Até porque as crianças têm também uma reserva pessoal, uma estrutura de defesa, de preservação. E ainda mais, o que são realmente estes "enganos" se sabemos que, de tempos em tempos, a orientação sobre educação muda tão drasticamente que praticamente invalida tudo que se fazia até então? Os livros que orientaram minha mãe, por exemplo, são praticamente desconhecidos pela maioria dos pais da minha geração. Como ficam as crianças que foram educadas segundo as velhas fórmulas? Deixam de existir? Deixam de ser consideradas educadas? Portanto, salvo as situações extremas, esses pequenos enganos não têm grande significado para nossos filhos e não devem constituir preocupação para os pais.

Mais adiante, Melanie Klein declara:

> "... Descobri que a atitude da mãe para com o filho é profundamente influenciada por suas reações inconscientes em relação à sua mãe ou ao seu pai. A situação é, por assim dizer, reversa. Se existem nela suas próprias raivas e ressentimentos contra a mãe, ainda não resolvidos, a atitude dela para com o bebê é, e não pode ser de bom grado, a que gos-

> taríamos de imaginar: uma nova e pura alegria em face da criação. As emoções da mãe contêm todo o seu passado; este passado pode exercer influência sob formas como as seguintes: a mulher que produziu fortes emoções reativas ou reprimiu sua hostilidade inconsciente para com a mãe tratará as manifestações de contrariedade e raiva nas crianças com uma severidade sem compreensão..." (p. 15)

Que os pais são influenciados por seu passado não há dúvida. O que não sei é que uso um pai que não tem acesso a um tratamento psicanalítico pode fazer desse tipo de informação. Sabe-se que o tratamento analítico só está ao alcance de pequena parcela da população mundial, e até mesmo esses levarão alguns anos para beneficiar-se de seus resultados. Então, efetivamente, qual a utilização que darão a esse conhecimento? Pelo que tenho visto, tem sido muito útil como fonte de ansiedade, culpas ou angústia para os pais no trato com os filhos. Ao ler: "a mulher que produziu fortes emoções reativas ou reprimiu sua hostilidade inconsciente para com a mãe tratará as manifestações de contrariedade e raiva nas crianças com uma severidade sem compreensão", uma mãe poderá interpretar suas próprias atitudes com os filhos de forma "psicanalítica", o que é totalmente desaconselhável do ponto de vista técnico. Esse tipo de informação superficial na maioria das vezes só faz gerar uma falta de espontaneidade dos pais em relação aos filhos, que dificulta a educação dos mesmos.

Quando se sabe exatamente o que fazer, quando se tem absoluta segurança com relação ao que se vai fazer, não existe culpa. O que mais costuma acontecer hoje em dia é justamente uma relação com muita culpa e insegurança. Cada vez que um pai ou mãe zanga com o filho, proíbe alguma coisa ou lhe nega algo, começa em seguida a questionar se agiu bem ou não. Este questionamento altamente desgastante faz com que, muitas vezes, o próximo pedido da criança seja imediatamente atendido para aliviar a culpa que sentimos. Com isso, a criança recebe uma mensagem freqüentemente dúbia, que a faz sentir-se insegura. Essa insegurança leva, em seguida, a criança a tentar certificar-se da impressão que teve e que a perturba (saberão meus pais o que querem? saberão o que fazem? se o sabem, por que agem de formas tão diversas?). Os pais são a fonte primeira de segurança dos filhos (inclusive para os adolescentes, mesmo que não pareça). Portanto, ao perceber insegurança ou incoerência nas suas atitudes, tenderão a insistir nas mesmas situações, já que lhes será necessário desfazer essa percepção de insegurança. Assim, as pessoas que acedem a todos os desejos dos filhos por acreditarem que não podem lhes dizer um "não" para evitar frustrações só conseguirão obter o resultado oposto. Tanto pais como filhos tenderão a ficar muito frustrados. Os pais porque, em algum momento, encontrarão o seu limite de concessões, nem que seja o limite financeiro. Os filhos, porque não terão nos pais a figura segura que necessitavam encontrar.

Na página 16 do mesmo livro, encontramos o seguinte:

> "... mães que confiam seus bebês tão logo que possível a amas e empregadas estão sob o domínio dessa mesma ansiedade inconsciente (sua própria agressividade não-resolvida)... a ama, por certo, pode ser na realidade uma pessoa superior à mãe em matéria de ajustamentos emocionais. Nesse caso, ela não deverá se surpreender se este se casar com uma mulher da chamada classe inferior, do mesmo modo que se este preferir qualquer outro lugar ao lar."

Primeiramente, sou obrigada a discordar porque toda afirmativa dogmática como esta é no mínimo perigosa. Além disso, temos aqui uma forma sectária de encarar situações que só podem ser analisadas dentro de um contexto próprio, individual, que é a vida e a história de vida de cada indivíduo. Pode realmente existir uma mãe que queira "livrar-se" das ansiedades da relação com o filho e, portanto, contrata uma babá. Mas seguramente será a minoria que o fará por este motivo. Portanto, é fora de propósito construir uma regra tão drástica e dura, que chega ao ponto de apresentar a ama como mais equilibrada que a mãe.

Como professora e como mãe, pude vivenciar duplamente a profunda ligação de uma mulher com seu filho. É algo físico, biológico, irracional. Há uma espécie de instinto de defesa, quase animal, ligando uma e outro. Por isso uma mãe só se separa espontaneamente do filho se possuir algum grave problema emocional, o que, com certeza, não constitui regra, mas exceção.

Lecionando há mais de vinte anos, tenho tido oportunidade de lidar com muitos pais. Como mãe também, porque criança vive cercada de crianças e, conseqüentemente, de mães. E o que venho encontrando são pais tentando, em meio a tantas informações, pressões e condutas diversas, agir da melhor forma possível, sempre preocupados com o bem-estar, a saúde e o equilíbrio dos filhos. Sem dúvida muitos agem inadequadamente do ponto de vista educacional, e, mesmo assim, em geral, o saldo é positivo.

Tomemos agora um recente best seller sobre educação infantil, *Uma vida para seu filho*, do psicólogo infantil Bruno Bettelheim. Trata-se de uma obra excelente. Entretanto, faço algumas críticas quanto a alguns aspectos:

1) a obra utiliza muitos termos técnicos, demandando dos leitores uma base razoável de conhecimentos de Psicologia;

2) grande parte dos casos citados pelo autor não se enquadra naquilo que convencionamos chamar "atitude normal" da maioria das crianças; são casos incomuns, alguns deles até patológicos. Essa diferença fundamental não é suficientemente esclarecida no texto, levando o leitor a acreditar que todas as crianças reagirão da forma descrita, em situações semelhantes.

Nesse ponto, o livro acaba se nivelando aos demais. Pecam, todos eles, por não esclarecerem devidamente o que é comum e o que é patológico. É claro, existem muitas discussões a respeito do limiar da normalidade e do patológico. Ignorar isso seria até ridículo. Mas é preciso que as pessoas tenham algum parâmetro para poder julgar as situações que vivenciam. E, para tanto, algum respaldo é necessário. Obviamente, o *limiar* entre normalidade e doença é tênue, mas alguns comportamentos são facilmente perceptíveis como normais ou não. E, afinal, somos pais ou psicólogos dos nossos filhos? Talvez alguns psicólogos, ao lerem este livro, pensem que estou indo contra a Psicologia. Mas não é verdade. O que quero é apenas devolver aos pais a tranqüilidade perdida, o direito de serem apenas pais de seus filhos. É muito bom que esses pais possam enriquecer-se e beneficiar-se com as contribuições da Psicologia, assim como eu me beneficiei ao utilizar-me dela na relação com meus filhos, alunos, e em toda a minha vida. Todo conhecimento enriquece o homem. Entretanto, o uso inadequado que alguns pais fazem dele pode comprometer todo o resultado final.

Os pais, mesmo tendo conhecimentos de Psicologia, devem tentar agir sempre como pais, isto é, devem ater-se na sua prática ao campo específico dos pais, o campo da Educação — evidentemente utilizando seus conhecimentos tanto de Psicologia como de outras áreas quaisquer, mas antes de tudo pensando como pai e mãe, nunca como terapeuta ou psicólogo.

Extraí para reflexão o seguinte trecho do livro do Dr. Bettelheim, à página 29:

> "... Ser informado de que o comportamento do nosso filho é normal para sua idade não ajuda muito. Além do mais, o conceito é questionável: o que significa exatamente a palavra 'normal' quando se trata de relações íntimas? Significa média mas nenhuma criança quer ser 'apenas média', nem nós queremos que nossos filhos sejam somente médios. ... uma preocupação com normalidade caracteriza a intrusão de uma abstração científica naquilo que deveria ser uma relação muito íntima.
>
> Os estudos psicológicos que estabelecem normas comportamentais para grupos de diferentes idades negligenciam deliberadamente as inúmeras diferenças individuais que tornam cada criança única."*

À página 31, encontra-se o que considero a idéia central do livro:

> "... A crença de que pode haver regras para lidar com nossos filhos é incompatível com a atitude de compreensão empática... confiar em regras nos poupa o trabalho de refletir sobre cada situação problemática e nos sentirmos responsáveis por sua solução satisfatória."**

---

*B. Bettelheim, *Uma vida para seu filho.*
****Idem.**

Não posso deixar de concordar *em parte* com cada uma destas afirmativas. Mas, por outro lado, não posso deixar de pensar em como fica mais difícil para os pais pensarem a cada instante qual a melhor forma de agir nesta ou naquela situação. Sim, os pais em geral acham seus filhos únicos, sua relação inigualável, tudo especial. Mas não é essa a verdade. A relação é, de fato, única, mas, de uma maneira ou de outra, em certo grau, as crianças repetem os mesmos comportamentos e passam por estágios de desenvolvimento intelectual e emocional bastante semelhantes.* Se a relação com os pais é única, e é importante que assim seja, isto não invalida no entanto o fato de que as crianças têm, em sua maioria, um ciclo de desenvolvimento para cada faixa etária bastante semelhante, com características nítidas e próprias. As variações que se podem observar são, de uma maneira geral, irrelevantes considerando-se todo o contexto. A esse respeito, as teorias de Jean Piaget**, numa extensa sucessão de pesquisas, encontram-se à disposição de todos os interessados.

Acreditar em faixas de desenvolvimento físico e emocional com características próprias absolutamente não elimina a unicidade de cada ser humano, mas, por outro lado, não o coloca à parte do conjunto dos homens, que são, em sua maioria, bastante parecidos em seu processo de desenvolvimento.

Portanto, é bastante radical afirmar, como Bettelheim, que "os estudos que determinam os comportamentos esperados para cada faixa etária estejam negligenciando propositadamente a pessoa, o indivíduo". Por outro lado, será que é realmente desejável que cada pai almeje que seu filho seja diferente

---

*J. Piaget & B. Inhelder, *A psicologia da criança.*
***Idem.*

(melhor) das demais crianças? Que tipo de pessoas estaremos formando? Umas que se consideram "únicas"? Como fica a cabecinha dessa criança cujo pai quer que ela seja MAIS que as outras? Não será muito mais saudável que ela seja apenas como a maioria das pessoas? A unicidade da relação está no amor que dedicamos aos nossos filhos, este sim, único, independente de quantos filhos tenhamos. No mais, é desejar que cresçam sadios e felizes, sem que lhes seja impingida a nossa eventual vontade de sobrepujar os outros.

No mesmo livro, página 31, a tese central do autor: não se pode ter regra alguma, cada caso é um caso, os pais não devem adotar padrões de comportamento ao educar os filhos. Aqui, creio caber uma pequena retificação, mas que muda totalmente, na prática, a tarefa diária dos pais: não devemos ter regras e padrões RÍGIDOS, *inflexíveis*, mas no dia-a-dia, algumas regras podem facilitar muito o trabalho de educar crianças. O que prejudica é a rigidez, o bitolamento, é atrelarmo-nos às regras. Em alguns momentos, se percebemos que a forma habitual de agirmos não está funcionando a contento, então sim, é o caso de pararmos para raciocinar e, talvez, mudar a estratégia. Daí porém a não se ter padrão algum vai uma distância muito grande. E é justamente isso que traz a insegurança, a dificuldade atual dos pais: não ter quaisquer padrões para basear sua prática.

O que não é positivo é condenar um tipo de comportamento sem substituí-lo por outro. Assim, se não estava certo estabelecer regras, como fazer para educar hoje?

Como a grande maioria dos pais deseja fazer o melhor por seu filho, as coisas então se complicam: qual será a forma mais acertada de se agir? Em geral, cada pessoa tende a pensar que a melhor forma de agir é a sua própria. A não ser pessoas muito neuróticas, em geral agimos pensando em acertar, agimos de acordo com aquilo em que acreditamos. Por outro lado, considerando que a sociedade vem criando uma alta expectativa em relação à *performance* dos pais, tais como: "ser liberal com os filhos, dialogar sempre, não impor nunca, respeitar, ter paciência, dar espaço" etc., a situação torna-se delicada, insustentável até: os pais não devem ter regras fixas, mas a sociedade espera (ou determina?) que se aja de acordo com a forma socialmente aceita de educar daquele momento. É impossível conciliar as duas coisas.

À página 90, Bettelheim escreve:

> "... Corrigir uma criança — para não falar em ordenar o que fazer — também tem o efeito de diminuir seu amor-próprio, chamando sua atenção para suas limitações. Mesmo que ela obedeça, não se beneficiará da correção; a formação de uma personalidade independente não será encorajada."*

Sobre castigo, encontramos, no Capítulo 10:

> "... A disciplina imposta a uma criança será provavelmente contraproducente, até mesmo em detrimento daquilo que o pai deseja conseguir... O que as crianças aprendem com o castigo é que o poder faz a justiça... Qualquer castigo — físico ou moral — nos coloca contra a pessoa que o infligiu... A única disciplina efetiva é a autodisciplina, motivada pelo desejo interior de agir meritoriamente, a fim de ficar bem a seus próprios olhos, de acordo com seus próprios valores..." (pp. 95-7)

*B. Bettelheim, *Uma vida para seu filho.*

Teoricamente perfeito! O problema consiste no seguinte: o que fazer quando se tem dois ou mais filhos, trabalha-se fora, a casa está por arrumar, a roupa por lavar e passar, o jantar por ser feito e as crianças estão a mil? O que fazer se elas querem brincar com espuma de sabão, depois de já terem sujado toda a sala com massinha, lanchado biscoitinhos que deixaram farelos por toda a casa, o marido está por chegar com fome e você está esgotada? As colocações do livro de Bettelheim, em sua maioria, são irretocáveis do ponto de vista psicológico. Mas como ser tão PERFEITA? Algumas vezes até conseguimos agir da forma preconizada, mas sempre...

Por outro lado, será que toda disciplina leva, realmente, as pessoas a se colocarem contra quem a aplica? E o senso de justiça da criança, onde fica? Tudo vai depender da forma pela qual se age. Muitas vezes me disciplinaram e disciplinei sem que me sentisse revoltada ou sem que meus filhos se revoltassem. Claro, quando a coisa é feita de forma tresloucada, num acesso de descontrole, aí sim! Se você passa o tempo todo se controlando para não dizer o que realmente pensa sobre como seus filhos se comportam, quando afinal o fizer provavelmente o fará nas piores condições emocionais, cansada, exaurida, num momento de "gota que transborda a taça". E isso não só com os filhos, mas também com seus amigos, marido ou chefe. É muito mais produtivo "jogar limpo", estabelecer com você e com os que convivem com você os limites de cada um. Uma mãe "boa o bastante" pode punir seus filhos sim, se julgar que eles o merecem, pode dizer "não" se não quer dar ou fazer alguma coisa, sem necessariamente ser ruim ou impedir a independência dos filhos.

Por outro lado, quanto ao problema da autodisciplina, parece-me bastante improvável que ela surja assim do nada por parte daqueles que, pela idade e imaturidade, ainda não têm como distinguir o certo do errado, o bem do mal (coisa que o próprio Bettelheim afirma à página 93: "A criança pequena não é capaz de distinguir o que é moralmente bom e o moralmente ruim.").

Dando uma volta de 180 graus, analisemos um outro livro, diametralmente oposto, pelo menos na apresentação, ao do Dr. Bettelheim: *A vida do bebê*, do pediatra Rinaldo de Lamare*, que em 1990 encontrava-se na 37ª edição e que serviu de livro de cabeceira a muitas gerações de pais. À página 33, ele recomenda:

> "... VESTIMENTA:
> A criança deve ser vestida de acordo com a temperatura do dia. Devem ser evitados fitas e colchetes; não confeccionar roupa que se enfie pela cabeça: ela detesta..."

À página 15, encontramos:

> "... AMA-SECA:
> A ama-seca, a tradicional babá, representa na vida de nossos filhos lugar muito importante. A mãe, quando a contrata, deve fazê-lo com cuidado: em primeiro lugar, indagando da saúde, o que deverá ser feito com auxílio de médico... É bom dispensá-las se não há certeza de bondade e seriedade..."

---

*R. de Lamare, *A vida do bebê.*

Ou, à página 194:

> "... Aos dois meses, é ocasião de iniciar certas medidas educacionais... A mamada noturna das 2 da madrugada deve ser eliminada... O bebê que tem fome antes das 3 horas de intervalo deverá receber uma mamadeira suplementar. O hábito de colocar a mamadeira no travesseiro, como dispositivo para o bebê mamar sozinho, não é aconselhável. O bebê deve sentir o calor materno."*

A diferença entre obras como esta e as demais é muito clara: neste tipo de trabalho o autor *diz* aos pais exatamente "o que" e "como" fazer. Embora as regras sejam bem objetivas, isto é, procuram estabelecer claramente o que se deve fazer em cada situação, não são rígidas, como se pode observar quando o autor ressalva que, se o bebê necessitar, a mamadeira extra poderá ser dada. A parte emocional da criança também não é desconsiderada, como se observa facilmente no último parágrafo. As regras são estabelecidas até para os bebês que fogem à regra. Pode ser engraçado, mas sem dúvida para os pais é muito mais fácil e seguro serem orientados dessa forma do que simplesmente serem instados a resolver de forma independente e criativa cada situação que emerge da relação com os filhos.

Se, por um lado, devemos considerar que Bettelheim apresenta uma teoria bastante fundamentada e criativa, por outro lado é mister pensar que sua operacionalização é muito complexa e demanda pais com um nível emocional e intelectual próximo do perfeito, caso a perfeição existisse. Por outro lado,

*R. de Lamare, *A vida do bebê.*

devemos também acreditar que, mesmo utilizando um conjunto de regras, as pessoas minimamente equilibradas sentir-se-ão à vontade para alterá-las sempre que julgarem necessário para o bom desenvolvimento dos filhos.

A grande maioria das indagações e dúvidas que os pais apresentam encontra resposta em obras como a do Dr. de Lamare. É sem dúvida muito mais fácil agir baseado numa obra desse tipo. Isto não quer dizer, evidentemente, que estou tentando invalidar trabalhos de gabarito e de grande valor, como algumas das obras citadas, nem superestimando outras. O que quero dizer é que, muitas vezes, o psicólogo e mesmo o educador parecem ignorar que para os pais é difícil, quando não impossível, colocar em prática recomendações e teorias para as quais não se encontram preparados, ou que lhes exijam comportamentos que a vida moderna, por suas características, torna impossível executar.

É importante também lembrar que livros clássicos sobre o tema são, muitas vezes, colocados de lado ou considerados ultrapassados quando as pessoas ainda não sabem ou não podem substituí-los convenientemente; daí advém uma situação de conflito e insegurança, com graves conseqüências para a educação das crianças e o dia-a-dia dos pais.

Convém ressaltar ainda que obras como a do Dr. de Lamare, considerada atualmente por alguns ultrapassada, demonstram também, como as mais modernas, bastante preocupação com o bem-estar físico e emocional da criança, muito embora sem excessos. A Psicologia é importante, mas, como vimos anteriormente, o psicologismo é extremamente prejudicial, porque, sendo uma distorção, prima pelo exagero, que pode levar os pais ou à total permissividade ou a uma atitude de imobilismo frente aos filhos, pelo receio de prejudicá-los psicologicamente. É esse exagero que queremos evitar.

Se compararmos a colocação do Dr. de Lamare* com a colocação do livro de Melanie Klein**, podemos entender melhor o que quero evidenciar. No primeiro caso, a existência da babá é vista exatamente como deve ser: um fato concreto que as pessoas de classes média e alta utilizam porque podem ou porque precisam. Não há acusações ou generalizações; apenas constatações. Ter uma babá não é crime. Os pais devem apenas — aconselha o autor — tomar cuidado ao fazer a seleção desta profissional que irá lidar com o que temos de mais precioso na vida: os nossos filhos. Já no livro de Melanie Klein, toda mãe que contrata uma babá o faz porque deseja afastar-se do filho, por quem não nutre sentimentos positivos. Afirmar tal coisa é no mínimo uma temeridade, uma inverdade científica e uma generalização perigosa. E como esses exemplos, poderíamos citar muitos outros. Este tipo de generalização, que existe em muitas obras, compromete uma classe de profissionais que, ao longo dos anos, tantas contribuições positivas vêm trazendo para a sociedade. Os efeitos negativos que tais asserções trazem para os leitores são muitos e devem ser corrigidos.

Em vez de ficarmos procurando sinais de neuroses nas nossas crianças, por que não acreditarmos mais nelas, em seu potencial, em seu amor e capacidade? São imensas a capacidade de percepção e a disponibilidade para dar das crianças e jovens. Sempre que damos mostra de acreditar em sua capacidade, os resultados são muito bons, surpreendendo-nos até por sua capacidade de superação e doação tanto no campo intelectual como emocional.

---

*R. de Lamare, *A vida do bebê.*

**Melanie Klein & al., *A educação de crianças à luz da investigação.*

Por isso, não vejo por que os pais devam preocupar-se em esconder seu aborrecimento com alguma atitude inadequada ou errada dos filhos, disfarçar o cansaço à noite ou obrigar-se a brincar se não desejam realmente. Por que mascarar a realidade? Carl Rogers, sem dúvida um grande psicanalista, enfatizou a importância da autenticidade nos relacionamentos, propondo-nos sermos transparentes nas relações com os amigos, companheiros de trabalho, alunos e filhos. Segundo ele, a falta de autenticidade é facilmente detectada, tornando inúteis os esforços para encobri-la.* A autenticidade, ao contrário, é imediatamente percebida como tal, e se os filhos se ressentirem por um momento pelo fato de não fazermos o que eles querem, desde que haja respeito, carinho e segurança, ao lhes explicarmos os nossos motivos, a aceitação e a compreensão virão em seguida. E, posso garantir, sem traumas nem frustrações. Não é difícil fazer com que as crianças nos compreendam. Para isso no entanto é preciso que lhes falemos honestamente. Mais do que isso: é preciso antes criar um ambiente propício à compreensão mútua. E isso se consegue habituando-se a criança a participar da comunidade que é a família, em vez de aliená-la dos problemas e da realidade que vivemos. Obviamente isso será feito dentro das possibilidades de compreensão de cada faixa de desenvolvimento, mas é um hábito que pode se desenvolver — o da participação —, fazendo com que a criança se torne mais amiga, compreensiva, e menos egocêntrica.

Expor, numa conversa franca e sincera, nossos sentimentos e motivos, fazer com que os compreendam costuma ser um meio eficaz até para o amadurecimento das crianças. É

*Carl Rogers, *Tornar-se pessoa.*

muito bom que elas se acostumem a nos ver como indivíduos, seres com necessidades próprias, além de pais. Claro, isso tudo de forma recíproca. O que pudermos atender devemos atender. É preciso que nossos filhos percebam que são tratados com respeito e atendidos nas suas necessidades físicas, materiais e emocionais, e que, em contrapartida, devem também aprender a perceber, respeitar e atender às necessidades dos outros (dos pais inclusive).

Será muito reconfortante para os pais perceberem que, muito mais vezes do que pensam os adultos, as crianças já a partir de cinco, seis anos são capazes de pensar e entendê-los (claro, dentro de certos limites). O problema é que poucas vezes os pais tentam este tipo de diálogo, principalmente aqueles que vivem influenciados pelo medo de "frustrar" ou criar problemas psicológicos nos filhos.

Em geral, são os pais que se colocam na situação dos filhos. Perfeito, natural. Mas por que não — às vezes, pelo menos —, em situações específicas, fazer o contrário? Se se tratar de uma necessidade importante, intransferível, é claro que os pais devem abandonar suas próprias necessidades e disposições em função das dos filhos. Mas não sendo este o caso, por que não darmos o direito de sermos vistos como seres humanos? Por que não fazer com que nossos filhos nos vejam como pessoas com vida, gostos, opções e necessidades diferentes das deles? Não será este o caminho para que eles, no futuro, emerjam como cidadãos responsáveis e democráticos? Não será também uma forma de fazê-los no futuro, vendo-nos como pessoas que também têm suas necessidades, nos apoiarem, amparando nossa velhice com seu afeto e amizade? Não estaremos criando pequenas ilhas de egoísmo se não lhes mostrarmos que devem respeitar os sentimentos e as necessidades dos outros, além das suas próprias? Se não nos revelarmos, não estaremos sendo os culpados se eles se transformarem em seres que só desejam ser servidos e atendidos?

A grande maioria dos pais procura atender a todas as necessidades dos filhos. Quando falo em "dar-se direitos" refiro-me àqueles momentos em que as crianças querem companhia para brincar, ou espectadores para suas gracinhas, já satisfeitas as suas necessidades essenciais. Refiro-me aos momentos em que fica evidenciada uma clara disputa pelo poder. E o espaço dividido por pais e filhos deve ser hoje dividido igualmente. O que vemos muitas vezes ocorrer, porém, é a clara dominação de todo o espaço pela criança. E todo ser humano adulto tem necessidade — e direito — de ser adulto, livre e independente por algumas horas do seu dia. E essas horas, esse espaço adulto, individual, deve ser utilizado do jeito que cada um mais gosta: lendo, escrevendo, nada fazendo, vendo TV, pintando, cozinhando etc. Nenhum adulto pode ser criança 24 horas por dia. Nós nos divertimos e deliciamos com os progressos de nossos filhos, até o momento em que aquilo deixa de ser um prazer para tornar-se uma obrigação, uma imposição, a escravidão aos desejos de um senhor insaciável que toda criança sabe ser, se lhe for dada oportunidade.

Defendo uma postura de equilíbrio. Não devemos ter medo dos nossos filhos. Devemos colocá-los do nosso lado. Sou favorável às linhas de educação mais modernas, que privilegiam a liberdade individual, o respeito pelo outro, a criatividade, o atendimento ao ritmo próprio e às características de cada criança. Esses conceitos trouxeram progressos fundamentais para o ensino e a educação de nossas crianças. O que não se pode esquecer é que se se defende uma postura de liberdade para as crianças, não se pode, até por uma questão de coerência, omitir a liberdade que os pais TAMBÉM devem ter. Caso contrário, acontece exatamente o oposto: não uma relação de entendimento em igualdade de condições, mas apenas uma mudança no eixo do poder. Se antes os pais detinham o poder de forma inquestionável e absoluta, agora observa-se (nas classes média e alta) uma prevalência do poder nas mãos das crianças. Não por culpa delas, mas pela falsa interpretação dos conhecimentos que chegaram aos pais. São valores que têm que ser revistos e resgatados em sua essência.

O importante em toda essa questão é discutir se se deve estabelecer limites e por quê, questionando a razão pela qual atualmente os pais não sentem segurança suficiente para determinar nada, porque tudo que leram ou ouviram parece conduzi-los à conclusão de que não podem nem devem estabelecer coisa alguma, em nome da liberdade e da democracia das relações.

Talvez a melhor forma de refletir sobre isso seja discutindo o problema da AUTORIDADE.

IV

Autoridade x autoritarismo

Discutir o problema da autoridade é muito importante quando se trata de estudar educação de crianças.

Em primeiro lugar, convém esclarecer que é perfeitamente possível a uma pessoa ser democrática e ter autoridade ao mesmo tempo. Como pai, professor ou mesmo como colega, uma pessoa pode ter autoridade dentro de um grupo.

Autoridade relaciona-se com o fenômeno do poder. É inegável que, na família, o pai e a mãe ocupam uma função que por si só lhes dá poder. E eles DEVEM TER PODER, porque a criança, como ser em formação, ainda não possui determinados conhecimentos e capacidades que a habilitem a gerir sozinha sua vida. Cabe aos pais a função de desenvolver-lhe essa capacidade e esses conhecimentos. Cabe-lhes, acima de tudo, a responsabilidade pela segurança e mesmo pela vida dos filhos. Essa atribuição não pode de forma alguma ser diminuída em sua importância. Para bem desempenhar esse papel, os pais precisam ter autoridade em relação aos filhos, ou seja, *devem ter poder*. Refiro-me ao poder decisório, do qual depende inclusive a segurança dos filhos. Quanto menor a criança, maior tem que ser o poder dos pais sobre ela. À medida que ela se desenvolve, vai adquirindo maior capacidade de decisão, maior discernimento, mais maturidade e, conseqüentemente, o poder irá passando dos pais para o filho, no sentido de ele, paulatinamente, gerir seu próprio destino.

Ter poder não significa obrigatoriamente, como pensam alguns, ser antidemocrático. Os pais podem conversar, esclarecer dúvidas, debater questões as mais diversas com os filhos, até deixar que tomem as decisões que acreditem já possam ser tomadas pelos filhos, sozinhos. Por outro lado, aquilo que sentem ainda não poder ser deixado a critério da criança será decidido pelos pais. O que não exclui a possibilidade de se conversar com elas para que se esclareça por que foram tomadas determinadas decisões, como proibir que assistam, por exemplo, a um determinado filme no cinema ou na televisão.

Entretanto, devido à grande influência que o psicologismo tem tido sobre os pais, é cada vez mais difícil encontrar pessoas que consigam tomar certas decisões que envolvem proibições com relação aos filhos. Todas as leituras, o ambiente social e a própria distorção do que seja democracia vêm dificultando o exercício da autoridade, mesmo quando ele se faz necessário e é até educativo para as crianças. O medo de errar, de castrar, de frustrar leva os pais a uma atitude de excessiva permissividade, de falta de autoridade em relação aos filhos.

Tenho tido oportunidade de, freqüentemente, presenciar cenas em que uma simples atividade do dia-a-dia — como telefonar, por exemplo — pode transformar-se numa verdadeira batalha doméstica. Crianças acostumadas a ter exclusividade na atenção das mães podem inventar mil pretextos para, por exemplo, impedi-la de falar com uma amiga ao telefone.

Vontade de ir ao banheiro, fome, sono, dores estranhas e imprevistas, tombos ou outros pretextos de repente sucedem-se de forma espantosa: essa tentativa é bastante comum em qualquer criança — lutar pela exclusividade da atenção dos pais. Entretanto, os recursos utilizados são ingênuos e transparentes para qualquer adulto. Quando porém os pais encontram-se pressionados pelo medo ou pela insegurança quanto a se devem ou não exercer sua autoridade, porque a confundem ingenuamente com autoritarismo, aí então o que normalmente seria uma coisa simples e tranqüila, sobre a qual nem sequer se deteriam a analisar, torna-se uma questão complicada e conflitiva.

Se na geração anterior, que não se preocupava com os "possíveis traumas" a cada momento, o problema era superado com um simples porém severo olhar, porque sua autoridade era inquestionada, hoje, ao contrário, é freqüente a mãe interromper três, quatro ou mais vezes uma conversa para atender a criança que lhe pede as mais diversas coisas, todas sem a menor urgência ou importância. Lembro-me de uma amiga ter me contado que, quando ia visitar a irmã, sua sobrinha, para evitar que elas conversassem, colocava os travesseiros do sofá entre os rostos das duas, de modo a que elas nem ao menos pudessem se olhar. E havia um tal consentimento por parte da mãe, aliás uma profissional com nível superior, que se tornara inviável qualquer "papo" entre as duas. É claro que são artifícios utilizados para obter atenção e confirmação de amor. Por que, no entanto, estas mães não conseguem — ou não querem — dominar tal situação?

Influenciados pela literatura que estimula, de forma bastante acentuada, o temor de provocar frustrações, de castrar a independência e inventividade da criança, influenciados pela sociedade que repudia atitudes de controle em quaisquer níveis (classificando-as de antidemocráticas), dominados por conceitos mal compreendidos do que seja "ser moderno", os pais encontram-se hoje praticamente indefesos frente a situações simples como a descrita acima.

Ocorre que tais atitudes só levam a que o nível de exigência das crianças se torne dia a dia mais alto, acima do normal, principalmente se considerarmos que nossas observações referem-se às classes média e alta, cujas crianças em geral têm bastante assistência e atenção dos pais.

Presenciei cenas nas quais uma criança chegava ao cúmulo de "puxar" o rosto da mãe em sua direção, de forma a impedir que ela sequer olhasse para o rosto de um interlocutor, numa conversa. Mais impressionante que o fato em si parece-me a forma pela qual os pais admitem essas atitudes extremamente controladoras dos filhos: de forma passiva e sem oposição firme. Em alguns percebi um nítido aborrecimento, mas, mesmo assim, submissão.

Há uma intromissão, um exercício exacerbado do poder por parte das crianças a que os pais se submetem de forma inquietante. Por quê? Porque têm medo; não dos filhos, mas da sua própria insegurança.

No Brasil, essa questão fica ainda mais acentuada pelo fato de as pessoas, nesse período de reconstrução da democracia, terem muito receio de serem identificadas ou tachadas de autocráticas. Há um "trauma nacional" em função desse passado recente que vivemos e conseqüentemente para muitos o "não" tem um sentido antidemocrático, quando sabemos que muitas vezes não se trata absolutamente disso.

Esses conceitos precisam ser repensados, reanalisados, trazidos do subconsciente para o nível racional. Existe uma espécie de mal-estar em relação ao exercício da autoridade, que é hoje freqüentemente questionada em vários níveis: na relação pais-filhos; professor-aluno; médico-paciente etc.

A autoridade vem sendo sistematicamente colocada como algo pernicioso. Na verdade, negativa não é a existência da autoridade, mas sim a existência do autoritarismo, que é o exercício exacerbado e sem medida da autoridade. Da mesma forma que há uma clara contraposição entre psicologia e psicologismo, também há uma nítida diferença entre autoridade e autoritarismo.

Um breve estudo sobre o problema poderá, certamente, ser de grande ajuda.

O que é o PODER? Segundo Max Weber, é a probabilidade que tem um ator (entendido aqui como aquele que age), dentro de um relacionamento social, de estar em posição de levar à frente seu próprio desejo, apesar de encontrar resistência. Determinadas circunstâncias podem colocá-lo na posição de impor sua vontade numa situação dada.

Em outras palavras, é a capacidade que tem o indivíduo de obrigar outra pessoa a executar determinado ato.

O poder se distingue da influência na medida em que o primeiro admite a possibilidade de sanção: a influência se dá no plano emocional, afetivo ou das idéias, enquanto que, em se tratando de PODER, a pessoa que sob o poder de outra percebe que essa outra pode, de alguma forma, impedi-la de fazer alguma coisa, excluí-la de outras, enfim, puni-la caso não aceite o poder que ela detém.*

Outra abordagem é a de M.G. Smith, que considera o poder a capacidade de agir sobre as pessoas e as coisas, recorren-

*M. Weber, *The Theory of Social and Economic Organization.*

do a variados meios, que vão da persuasão à coerção.* Em geral, porém, as Ciências Sociais costumam excluir objetos não-humanos ou inanimados das relações de poder.

Muitos autores em Psicologia Social definem poder como a habilidade que alguém tem sobre outro para mudar ou influenciar comportamentos.

Segundo vários autores, de Aristóteles a Marx e Engels, as diferenças nas estruturas do poder estariam ligadas à forma como os "recursos" são distribuídos entre os indivíduos ou grupos.**

De acordo com Laswell, estes "recursos" seriam o próprio poder (que é a base para se obter mais poder), respeito, moral, afeição, bem-estar, saúde, experiência e esclarecimento (conhecimento). Por esta tese, tem mais poder aquele que tem mais recursos.*** No caso da relação pais-filhos, fica claro quem pode exercer o poder. Os recursos a que os autores se referem são, no caso dos pais, ligados à capacidade de proteger, amar, alimentar, ouvir, orientar, enfim, providenciar tudo que é necessário para o crescimento seguro e a própria sobrevivência dos filhos.

Por outro lado, duas pessoas com os mesmos recursos podem não exercer o mesmo grau de poder, por vários motivos. Um deles poderia ser o fato de a pessoa ter o poder, mas não ter a intenção de exercê-lo. É o caso de muitos pais hoje em dia. Atingidos pela massa de informações sobre problemas psicológicos gerados pela incompreensão, rigidez, severidade exagerada, falta de amor, falta de disponibilidade dos pais em relação aos filhos, muitos desistem de usar o poder que de-

---

*M.G.R. Silva, *Prática médica — Dominação e submissão.*
**M.G.R. Silva, *Prática médica — Dominação e submissão.*
****Idem.*

têm por acreditarem que assim evitarão causar tais problemas a suas crianças.

Embora tenham mais recursos que os filhos (pelo menos no que se refere à experiência de vida, conhecimento em geral e condições de sobrevivência), sentem-se tolhidos, negam-se a usar o seu poder, pelo medo de determinarem uma relação autocrática ou "traumatizante".

Na verdade, do ponto de vista das teorias que estudam o fenômeno da autoridade e do poder, é importante deixar claro que o autoritarismo só ocorre quando o poder utilizado pelos pais é exacerbado, neurótico, despropositado. Quando as determinações dos pais são racionais, equilibradas e voltadas para o bem-estar dos filhos, tudo correrá normalmente, porque a própria criança compreende isso, mesmo quando reage. É perfeitamente natural que os pais digam aos filhos o que devem e como devem fazer as coisas simples do dia-a-dia, até que eles próprios possam fazê-las por si sós. Além disso, qualquer pai equilibrado, dentro dos padrões normais, quer muito que seus filhos cresçam, se desenvolvam, amadureçam e assumam seu próprio destino. Todos amamos nossos filhos, mas faz parte da vida que eles cresçam e que nós, pais, pouco a pouco, assumamos outras atividades e interesses. Só numa relação doentia é que se estabelece o desejo do poder pelo poder, isto é, o poder como um fim em si mesmo. Nesse caso, os pais lutam para mantê-lo a todo custo, evitando que a criança adquira independência gradativamente.

Além de conceituar PODER, pode-se discutir também o problema da MEDIDA DO PODER. Alguns pesquisadores vêm tentando concretizar formas de "medir" o poder.

Em Psicologia Social, o mais comum é tentar-se medir o poder pela quantidade de mudança operada num determinado indivíduo, atribuível a outro indivíduo. Quanto maior for a mudança verificada, maior o poder do primeiro sobre o segundo.

Lembro-me sempre de um amigo que se queixava com freqüência, embora timidamente (como se não tivesse o direito), do fato de, depois de ter tido filhos, ter "perdido o direito de fazer as coisas de que mais gostava", como: ver seus filmes preferidos, porque os filhos é que determinavam o canal de TV a que assistiriam, ouvir música, assistir aos vídeos que ele gravava, porque a TV tornara-se propriedade das crianças, dormir após o almoço aos domingos, porque eles não deixavam — palavras textuais —, acordar tarde nos feriados, dormir na sua própria cama, porque a caçula gostava de dormir na cama com a mãe etc.

Creio que esse exemplo ilustra bem quem detém o poder nesta relação. O que é fundamental salientar é o fato que salta aos olhos de qualquer um: as exigências dessas crianças não têm qualquer fundamento, não têm sustentação em quaisquer teorias, porque não se trata de atender a necessidades nem físicas, nem materiais, nem emocionais. É um caso simples e patente de ocupação de espaços, em que alguém ficou com TODO o espaço e alguém SEM NENHUM.

É também bastante impressionante o fato de esse pai comentar as mudanças operadas em sua vida como se elas fossem realmente necessárias ou como se essa situação fosse inquestionável ou imutável. Nas minhas observações, pude perceber que esse tipo de dificuldade existe em variados graus de intensidade. Vi pais que nunca se colocavam honestamente, impondo-se uma obediência total aos filhos, e outros em que esta passividade ia até um certo momento, quando em geral estabeleciam algum tipo de limite. Esta "obediência", como chamei, na verdade é uma forma de atitude que os pais adotam acreditando que não devem "contrariar" os filhos, ou que devem fazê-lo o menos possível. Não se questionam sobre o que significa, no caso, contrariar. Seria uma forma de ser contra? Se assim fosse, então realmente poderia parecer algo condenável. Como posso ser contra meu próprio filho? Se, no entanto, contrariar for percebido como uma necessidade de colocar alguns limites, então os pais não encaram este ato como algo tão condenável, conseguindo agir de forma mais equilibrada.

Fatos como o citado e outros que presenciei me despertaram para o absurdo da situação vivenciada atualmente por alguns pais em suas relações com os filhos. Comecei questionando a passividade dessas pessoas e a atitude de suas crianças. Seriam apenas esses casais e estas crianças? Observei muitos outros e vi que não eram poucos os que se encontravam na situação descrita. Em todos os casos, ficou perfeitamente claro que não havia uma consciência plena da situação. Bastava conversar ou encaminhar a conversa para uma discussão sobre educação de crianças ou sobre a vida de um casal para que as catarses começassem. Não. Positivamente os pais não estão agindo por convicção, linha educacional ou decisão pessoal. Agem por insegurança, por pensarem que não há alternativa. Se acreditassem que assim é que deve ser, por que tantas queixas, tanta insatisfação?

Pode-se pensar ainda no aspecto econômico, isto é, quanto "custaria" ao primeiro indivíduo influenciar o segundo, e quanto custaria ao segundo recusar-se a seguir o primeiro. No caso dos pais, evidentemente, os custos seriam psicológicos. Ou seja, deixar de influenciar ou de exercer sua autoridade sobre os filhos levaria a quê? Quais as conseqüências dessa nova situação para ambos? Parece-me claro que essa insegurança dos pais na relação com os filhos tem trazido problemas para todos: para os filhos, porque não percebem naqueles dos quais dependem segurança, e para os pais, porque conduz a uma verdadeira escravidão auto-imposta, que torna difíceis o cotidiano e a convivência com os "senhores" criados por sua própria fraqueza.

Além desses, o custo maior é o social. A longo prazo, o que poderemos esperar de gente acostumada a dominar as pessoas, a ter todos os seus desejos, por menores que sejam, atendidos? Como se comportarão ao se tornarem cidadãos, elementos de uma comunidade? Serão cooperadores, estarão dispostos a dividir, a esperar sua vez, a receberem "nãos"? Porque, quer queiramos ou não, a vida nos prepara muitas negativas. Como encararão tais crianças quaisquer fracassos? Provavelmente, terão reduzido seu nível de tolerância à frustração, já que os pais se encarregaram de, por longos anos, criar todas as condições para tal. Este custo é um custo social, porque, se pensarmos em muitos indivíduos agindo de forma individualista, exigente, esperneando quando a vida lhes negar algo, teremos que pensar, forçosamente, em qual será a sociedade formada por pessoas como essas...

Do ponto de vista dos pais, o problema é que, ao contrário do que pretendiam ao renunciar a utilizar sua autoridade deixando-se dominar pelos desejos e vontades dos filhos, estarão criando pessoas que, com muito mais probabilidades, se frustrarão nas suas relações pessoais, porque, provavelmente, tenderão a reproduzir em suas vidas a relação de poder experimentada com os pais. E é pouco provável que encontrem sempre pessoas dispostas a se deixarem dominar. Principalmente se se depararem com outras pessoas que tenham sido criadas por pais semelhantes aos que tiveram.

Pensar em poder como capacidade de influenciar envolve, necessariamente, conflito.

Em Psicanálise, *conflito* é entendido como aquilo que ocorre no sujeito quando se opõem exigências internas contrárias.

O *conflito* pode ser *manifesto* ou *latente*. Antes de mais nada, ele faz parte do ser humano. Fica claro, portanto, que não existe e não é possível existir uma relação sem conflitos.*

Conflito manifesto é aquele que já aflorou numa relação. É aquele que, como o nome diz, manifestou-se, revelou-se a partir de dadas circunstâncias. Já o conflito latente permanece oculto, embora possa vir a manifestar-se se determinadas variáveis surgirem.

Para os pais, é importante ressaltar que o conflito é *manejável*, podendo até ser DESEJÁVEL. O conflito, quando bem administrado, tem efeitos benéficos. O que determina a diferença entre os efeitos (positivos ou negativos) do conflito é justamente a *forma pela qual se o administra*.

O que se deve tentar é reduzir os efeitos destrutivos do conflito, ou seja, os pais devem encarar a existência de conflitos como algo natural em qualquer tipo de relacionamento, devendo, entretanto, evitar que os conflitos gerem HOSTILIDADE de parte a parte. Em outras palavras, opor-se aos filhos, dependendo da forma, torna-se um ato educativo ou, se feito de forma agressiva ou excessivamente autoritária, pode gerar rancores, hostilidade ou sentimentos de rejeição.

Administrar os conflitos é uma arte e um exercício de paciência. Porque o antigo dito popular "ensinar é repetir" assume, na relação com os filhos, uma dimensão infinita. É inimaginável a capacidade de controle que os pais têm que ter

*M.G.R. Silva, *Prática médica — Dominação e submissão.*

para, dia após dia, repetir as mesmas coisas, lembrar, relembrar, explicar, reexplicar. A criança tende a "testar" a eficiência e a segurança dos pais nas suas determinações, repetindo habilmente nas mais variadas situações os comportamentos que sabem que lhes estão vedados. Por exemplo, quando se ensina a um bebê que ele não deve colocar os dedinhos numa tomada, ele obedece. Em seguida, dirige-se a outra tomada da sala, olha a mãe ou pai, e ostensivamente encaminha a mão para o excitante "objeto proibido". Cabe aos pais a tarefa de reforçar a negativa, com segurança e presteza, a cada vez que a operação se repete. Na verdade, é sabido que a criança usa este tipo de comportamento não para irritar os pais, mas para poder chegar a uma generalização que seria mais ou menos a seguinte: "Não posso mexer nesta tomada, nem naquela, nem na outra — enfim, não posso mexer em quaisquer tomadas."*

Para nós, adultos, pode parecer extremamente simples fazer a transferência — não mexer em uma tomada, não mexer em nenhuma tomada —, mas não é assim que se processa a aprendizagem. Alguns pais optam por um método mais radical que consiste em deixar que a criança aprenda por si, mesmo que isso represente algum perigo para ela. Bem, nunca me senti capaz de tal coisa, muito embora as pessoas que assim agem tenham até respaldo em alguns teóricos da aprendizagem. Poderia citar todos os da linha behaviorista (comportamental), segundo os quais o condicionamento faz com que o comportamento se modifique. Realmente, ratos e pombos testados em laboratórios demonstram compreender bem quando levam um choque, passando a evitar determinados caminhos de labirintos ou locais onde perceberam que o choque poderá repetir-se.

*C.I. Sandstrom, *A psicologia da infância e da adolescência.*

Entretanto, nunca me senti à vontade para condicionar meus filhos ou alunos como se fossem animaizinhos de laboratório. Mas existem outros teóricos que podem levar os pais ao mesmo tipo de comportamento. Carl Rogers elaborou toda a sua teoria da não-diretividade movido por idéias tais como: ninguém ensina nada a ninguém, a experiência é pessoal e intransferível, só se aprende aquilo que se quer aprender, entre outras.* Embora eu concorde com parte das colocações, considero-as extremamente radicais. Acho que, se se pode evitar algum tipo de sofrimento aos nossos filhos, devemos fazê-lo, sem que com isso estejamos impedindo-os de viver ou de experimentar coisas. Com certeza, a própria vida se encarregará de fornecer a eles uma longa seqüência de possibilidades. Mas se você acha, como eu, que seu filho não precisa levar um choque para saber que tomadas são para aparelhos elétricos e não para dedos, você forçosamente estará entrando numa zona de conflito com seu filho (felizmente já existem as capas protetoras para tomadas, que são uma outra forma de administrar o conflito: PREVENINDO-O. Só que, com certeza, surgirá uma outra possibilidade para o conflito se manifestar. De forma que não será muito fácil viver fugindo).

Na realidade, tomada a decisão de administrar os conflitos inevitáveis da relação, e, ainda mais, consciente de que lhe caberá como pai ou mãe a tarefa de ser o "chato" da relação, aquele que nega, que proíbe, que "corta o barato", não se tem outra possibilidade a não ser — ir em frente...

Ir em frente pode significar escolher entre três caminhos, porque existem três formas diversas de administrar conflitos.

---

*Carl Rogers, *Tornar-se pessoa.*

A primeira delas é chamada SUPRESSÃO DO CONFLITO OU GUERRA TOTAL — e era o método utilizado por nossos avós e até por muitos dos nossos pais. É uma forma primitiva, pela qual simplesmente o mais forte ou o que tem mais recursos resolve o conflito utilizando-se dessa força ou recurso. Por exemplo, bater na criança, trancá-la num quarto escuro, fazê-la sentar-se por horas numa cadeirinha no canto do quarto etc. Valiam também chineladas, cintadas ou outros castigos corporais. Dessa forma, o conflito era suprimido, porque, intimidadas, as crianças pouco ou nada reagiam nestas situações.

A segunda forma, mais moderna, é a chamada BARGANHA OU GUERRA LIMITADA. Por este método faz-se uma espécie de "troca" entre as partes, do tipo "se você não fizer isto ganha aquilo" ou "se você fizer isto eu faço aquilo". Há realmente um entendimento entre as partes conflitantes, onde cada uma se propõe a dar ou ceder até determinado ponto em troca de também receber alguma coisa da outra parte. Este sistema pode ser utilizado lançando-se mão de coisas materiais ou não. Por exemplo, um pai que promete ao filho deixá-lo ir ao cinema no fim de semana se ele estudar todos os dias, durante um determinado período de tempo. Ou: uma mãe que promete uma bicicleta ao filho se ele for aprovado na escola. Este sistema é bastante usado, mas, a meu ver, contém um erro de base. O ideal é que encaminhemos nossos filhos a agirem por decisões calcadas numa ética, num conjunto de valores nos quais eles verdadeiramente acreditem, e não porque pretendem ter tais ou quais "lucros" em dadas situações. Considero que esta forma de agir acoberta uma relação em que não existem lealdade, diálogo e entendimento verdadeiro. Apesar disso, esse tipo de atitude é bastante comum e surte efeito, ao menos em determinados níveis de conflitos.

A terceira forma, ideal, é a SOLUÇÃO DE PROBLEMAS OU MÉTODO CIVILIZADO.* Neste caso, há uma tentativa de compreensão real de ambas as partes envolvidas no conflito. Cada qual expõe seus pontos de vista, conversa-se, debate-se e procura-se chegar a formas de convivência e real entendimento. Diálogo é a base de todo o processo.

A "guerra total" é a forma autoritária de administrar os conflitos, em que é negada à criança a expressão de seus desejos e necessidades e que, obviamente, conduz a uma relação neurótica, porque é baseada no medo e no desrespeito ao ser individual da criança. A "barganha", por outro lado, também não leva a soluções positivas e criativas, já que estabelece uma relação em que poderá prevalecer o interesse em conseguir sempre mais do outro elemento da relação. Pode ainda, a qualquer momento, ressurgir o conflito, porque na verdade ele não foi eliminado, mas apenas mascarado por uma situação que, num determinado momento, interessa a ambas as partes, mas que dificilmente poderá manter-se para sempre. É só imaginarmos que poderá ocorrer, tanto da parte do filho como dos pais, um crescimento no nível de exigências até culminar em alguma situação que um dos dois lados não queira ou não possa atender. Uma criança habituada a estudar porque é sempre premiada por isso, num determinado momento, vestibular por exemplo, poderá querer como compensação pela aprovação um carro ou outra coisa de valor que os pais não tenham condições de satisfazer. Além do mais, esta atitude denota uma distorção por parte dos pais e do filho, porque na verdade o que de melhor os pais estão fazendo é propiciando condições de estudo, o que é, na verdade, benefício para o filho. De modo

*M.G.R. Silva, *Prática médica — Dominação e submissão.*

algum deveriam os pais ter que "pagar" por alguma coisa que já é positiva em si.

A utilização do método civilizado ou de solução de problemas é sem dúvida a melhor forma de administração de conflitos. Infelizmente é, sem dúvida também, a mais difícil de operacionalização. Consiste em discutir de forma democrática e ponderada as diversas possibilidades de resolução da situação conflitiva. Ambas as partes têm direito a "voz e voto", podendo expressar livremente suas opiniões, as dificuldades que cada proposta traz para as partes envolvidas, até que, mediante reflexão, análise e diálogo, chega-se a uma solução, se não consensual, ao menos satisfatória para todos.

Não há dúvida de que seria maravilhoso se pais e filhos pudessem sempre agir e se entender assim. Obviamente, quando se trata de crianças pequenas, nem sempre elas são capazes de aceitar ponderações com toda a maturidade e correção, por mais que elas nos pareçam claras e perfeitas. Ao contrário, às vezes uma afirmativa equilibradíssima pode gerar um tremendo berreiro (totalmente irracional). Com os adolescentes as coisas também não são sempre tão simples e racionais. Eles têm a famosa necessidade de auto-afirmação e de "cortar o cordão umbilical", que os torna muitas vezes bastante irritadiços e avessos a diálogos, que classificam de "caretas".

Nestas fases é sem dúvida muito difícil administrar conflitos pelo método civilizado. A maioria dos pais age mais por instinto, passando ora pelo primeiro, ora pelo segundo e ora pelo terceiro método. É o método que chamo de "salve-se quem puder". Vão fazendo as coisas do jeito que dá, não do jeito que gostariam ou no qual acreditam. Isso sem falar daqueles que nem pensaram em método nenhum de administração de conflitos. Afinal, nem sabiam que se podia administrar conflitos...

A verdade é que a relação de pais e filhos no dia-a-dia é extremamente complexa. Cabe aos pais a difícil tarefa de cuidar, proteger, zelar pelo bom desenvolvimento físico, intelectual, moral e afetivo dos filhos. Cabe a estes a maravilhosa tarefa de viver, de descobrir o mundo, de crer, com todas as forças dos inocentes, na beleza da vida e na imortalidade do corpo. Porque, sem dúvida, eles crêem nisso, mesmo que digam que não. Basta ver uma criança brincando, alheia a todos os perigos, ou um jovem numa turma de amigos, para se ter a certeza de que a morte, a tristeza e a doença não existem, a não ser na cabeça dos adultos, esses terríveis seres que só vivem para aborrecê-los e para proibir-lhes tudo que há de bom... Assim, como agir para administrar conflitos de forma democrática, dialogada, CI-VI-LI-ZA-DA? Realmente, é muito, muito difícil. E nós, adultos "chatos", não tínhamos a menor idéia de que para sermos pais teríamos que dizer tantos nãos, cortar tantos "baratos". Ninguém avisa isso a ninguém, só a própria prática... É por isso que muitos pais optam por ceder sempre, por dizer sim a tudo. Talvez, além do que analisamos sobre o problema da aura positiva que existe no liberalismo, haja também a necessidade de ser amado, de não ser aquele que frustra, que castra, que faz a criança chorar, ficar infeliz... Talvez, além de tudo, haja o medo de ser autoritário, porque não sabem exercer autoridade de outra forma a não ser aquela que aprenderam com seus pais. Talvez eles não se sintam seguros sobre essas diferenças, talvez temam não saber distinguir quando e onde agir com autoridade.

Realmente, é muito difícil e, justamente por isso, e em defesa desses pais, com tantas informações desencontradas e tantas dúvidas, é que escrevi este livro... Quem sabe assim eles não se sentirão tão sozinhos, tão imperfeitos, tão desamparados. Ao perceberem que as suas dúvidas podem ser as de muitos outros pais, talvez se sintam mais fortes para repensar sua prática diária, revendo conceitos e formulando novas posturas.

V

Democracia, liberalismo e liberdade

A discussão sobre o problema do autoritarismo e da autoridade nos leva a uma reflexão sobre a liberdade, a democracia e a teoria liberal.

O que significa, para os pais, ser democrático? Até que ponto ser democrático é a mesma coisa que ser liberal? Ou será que não é a mesma coisa? E o problema da liberdade? Até que ponto devemos "dar liberdade" aos nossos filhos? A partir de que momento, idade ou fase?

Teorizar sobre assuntos dessa natureza não é tão difícil. Principalmente se a pessoa tem algum nível de conhecimento sobre os temas. Posso garantir, entretanto, por experiência própria, que colocar em prática, com nossos filhos, as teorias nas quais acreditamos é bastante mais complicado... Porque, para começar, entram em cena a emoção, o amor que sentimos por eles e que, talvez, seja o amor mais complexo que existe. Quando amamos um adulto (um namorado, um amigo, uma irmã), as coisas são diferentes, porque com os filhos o amor se mistura a um sentimento muito, muito grande de responsabilidade, uma responsabilidade que pode misturar-se ao medo de alguma coisa "dar errado", de não conseguirmos formar bem aquela ou aquelas pessoinhas que tanto amamos e que dependem de nós. O amor entre adultos é diferente. O adulto, nós sabemos, pode tomar conta de sua própria vida, gerir e decidir seus passos (pelo menos em tese), assumir seus riscos. Por isso é mais fácil, por exemplo, o amor entre um homem e uma mulher do que entre um pai e seu filho. A relação é mais equilibrada, mais harmônica em termos de dar e receber. Entre adultos, o amor permite troca de idéias, divisão de responsabilidades. Refiro-me a amor no sentido mais geral do termo, significando companheirismo, amizade, afeto, e não somente ao amor entre um homem e uma mulher.

Quando a gente tem um filho, ou melhor, quando a gente começa a ter um filho, na gestação, as coisas são ainda muito teóricas. É tudo um sonho, mil pensamentos, milhares de ideais traçados. A gente já se vê com o bebê no colo, cuidando, amando, vestindo, alimentando... Principalmente quando se trata do primeiro filho, as imagens são imagens de sonho. Tudo é poético e lindo. Quando o bebê nasce, a emoção é muito forte. Junto com ela, porém, surge o primeiro espinho. Um certo sentimento de medo, de insegurança, angústia... De repente, compreendemos que aquele ser, até ainda meio desconhecido, depende de nós para tudo: para comer, para dormir, até para mudar de posição no berço... No início assusta. Será que daremos "conta do recado"? E depois... quando tudo que se leu nas revistas e livros se mostra incompleto e insuficiente? Quando ele não pára de chorar e a gente já fez tudo que sabia, que nossa mãe sabia, que a vizinha sabia, a empregada, TODOS? Nossa, aí o medo é muito grande.

E, mais adiante, quando já superarmos todas essas dificuldades, digamos, iniciais? Aí, surgem outras dificuldades, e mais outras e mais outras. Todas di-fe-ren-tes... A cada dia novas coisas para aprender, para administrar, para compreender, para vencer. Febres, vômitos, mil resfriados, diarreiazinhas e diarréias enormes, tombos, quedas, braços quebrados, joelhos ralados, brigas com os filhos dos vizinhos, as crianças maiores brigando ou enganando as menores, que mais? Ah, tem muito mais: convencer a criança a comer o que é saudável e não somente o que ela gosta (chicletes principalmente), convencer a criança de que é preciso fazer os deveres da escola, embora sabendo que ela prefere (e é mais gostoso mesmo) brincar com os amiguinhos, convencer de que também deve haver um horário para as refeições, um outro para dormir e outro (pior que tudo) para acordar... Mostrar-lhe que não é certo pegar coisas (embora altamente atraentes) do amiguinho, levar para tomar injeção, dar remédios que ela odeia tomar, mandar pedir desculpas quando fez alguma coisa errada, enfim — convenhamos — um monte de coisas "chatas", como classificariam sabiamente os nossos filhos. Acho até que eles às vezes devem se perguntar: "Para que é mesmo que existem pais?" Porque, embora eu esteja falando de forma caricatural, a verdade é que, surpreendentemente para os pais de primeira viagem, de repente você compreende que a "missão" nobre e poética de criar e educar filhos é no dia-a-dia uma tarefa que nos transforma em pessoas chatas, repetitivas, cansadas e, às vezes, um pouquinho histéricas...

Uma coisa é a imagem que fazíamos antes de começar a criar filhos. Outra é a visão real e concreta da prática diária. Muitas vezes surpreendi-me descabelada, suada, lutando contra o relógio, falando, brigando, explicando coisas aos meus filhos numa voz meio esganiçada (que só a muito custo eu reconhecia que era minha mesmo), tentando não ficar histérica, enquanto uma vozinha me soprava nos ouvidos, baixinho: "Você é uma educadora, uma pessoa que forma professores, que dá aulas de didática e de psicologia da aprendizagem e do desenvolvimento. COMO É QUE VOCÊ ESTÁ FAZENDO AS COISAS DESSE JEITO?" Aí, depois dessa descompostura do meu anjo da guarda, eu tentava me controlar, respirava fundo e começava tudo do princípio. Mas nem sempre funcionava, porque a rotina do educar é muito cansativa. A gente se acha CHATA. A gente se vê fazendo o papel que tanto criticávamos nos nossos pais (e pensávamos: quando EU tiver filhos, nunca vou fazer uma cena destas. Vou conversar, dialogar, nunca gritar. Que coisa horrorosa, uma pessoa descontrolada desse jeito...), mesmo sendo contra todos os nossos princípios e desejos. Por quê? Porque é muito difícil. Muito mais difícil do que pensam os que teorizam a respeito, sem nunca terem vivenciado aquilo sobre o que falam... Não estou dizendo que seja impossível aos pais agirem conforme preconizam os teóricos; apenas acho importante que alguém se lembre de dizer o quanto é difícil conseguir essa perfeição, aparentemente tão fácil nos livros e artigos.

Em primeiro lugar, é muito bom lembrar o quanto é desgastante para os pais a necessidade de repetir sempre as mesmas coisas, infinitas vezes. Para que uma criança aprenda é realmente necessário que os pais repitam e repitam *ad infinitum* as mesmas recomendações quase diariamente e, até, mais que diariamente, várias vezes ao dia. Mesmo sabendo que é uma característica infantil (a necessidade de certificar-se muitas vezes até chegar à generalização), lembrar desse pressuposto sempre é muito difícil. Se você está cheio de coisas para fazer num determinado espaço de tempo (geralmente mínimo) e seu filhinho, de repente, no meio de tudo, resolve "certificar-se" de que ele realmente não pode subir na estante, prateleira por prateleira, fazendo delas degraus, e, mais uma vez, derruba toneladas de livros no chão na hora em que você pensa que já terminou de arrumar a casa e vai sair, fica muito difícil achar tudo normal, bonitinho, e aí, calmamente, explicar pela enésima vez que NÃO PODE SUBIR NA ESTANTE. Nessas horas, em geral, todo mundo esquece seus propósitos de diálogo, de liberdade etc. e dá uma bronca daquelas.

Também não é fácil convencer uma criança de uma série de outras coisas como não espalhar brinquedos por toda a casa, dividir seus brinquedos com o irmão, esperar sua vez para falar, permitir que outras pessoas também opinem sobre qual o programa de TV a que irão assistir (nem sempre os adultos estão dispostos a ver desenho animado ou historinhas de monstros...). De fato, não é nada fácil. Algumas pessoas poderão contestar a necessidade de estabelecer este tipo de regras. Por que não deixar a criança comer o que quiser, ver o filme que desejar, enfim, por que não lhe dar li-ber-da-de? A esse propósito, caberia por exemplo citar o livro *Montessori em família*, que coloca isso de forma clara e bastante taxativa:

> "... A criança que vive num ambiente criado pelos adultos vive num meio totalmente em desacordo com suas necessidades físicas e psíquicas (sendo as últimas muito mais importantes do que as primeiras). Essas suas necessidades psíquicas é que irão capacitá-la a se desenvolver intelectual e moralmente. No entanto, a criança, reprimida por agente muito mais poderoso do que ela, tem os seus desejos tolhidos pelos adultos, que a compelem a se adaptar a um ambiente hostil. As pessoas adultas pensam que assim estão auxiliando o desenvolvimento da criança como personalidade social."*

*M. Montessori, *Montessori em família.*

Sem dúvida, contundente. Só que, em primeiro lugar, teríamos que discutir se esta é realmente a liberdade tão falada. Depois, poderíamos questionar, liberdade de quem, para que finalidade? Mas discutiremos isto mais adiante. Por enquanto, o que estou tentando demonstrar é a própria dificuldade que os pais têm de operacionalizar as teorias nas quais acreditam. E mais ainda — muitas vezes os pais vêm tentando operacionalizar teorias sobre as quais, na realidade, não refletiram ou se aprofundaram, apenas adotando-as porque é "mais moderno" e — conseqüentemente, acreditam — mais correto.

Se já é difícil colocar em prática aquilo em que acreditamos, imagine como não será muito mais complexo fazer coisas das quais não estamos verdadeiramente convencidos.

As recomendações dos livros sobre educação de crianças parecem tornar tudo tão fácil, tão sem problemas... A impressão que fica é de que se sabemos a teoria automaticamente saberemos realizá-la na prática. A frustração sentida quando se verifica que não é bem assim que acontece pode levar os pais a uma sensação de impotência, fracasso ou uma grande insegurança. Acredito firmemente que quem não tem filhos não pode nem de longe aquilatar como é difícil ensinar alguma coisa a uma criança. Embora tudo tenha uma explicação psicológica perfeita, é extremamente cansativo conviver com e educar crianças. Elas passam por várias fases "enervantes". A fase do "não", a fase do "é meu", a fase do "também quero" ou "também vou" são algumas delas. Como já disse, existem, para cada uma, vários motivos psicológicos que as justificam. Mas se por um lado justificam, por outro não as tornam menos difíceis de serem administradas. Por mais que amemos nossos filhos e estejamos imbuídos da responsabilidade de nossa tarefa, duvido que algum pai ou mãe, de qualquer parte do mundo, em qualquer época, não tenha tido uma (pelo menos uma) "crise de nervos" alguma vez na vida ao lidar com seus filhos.

Pensando apenas do lado dos pais, sem nos preocuparmos com quaisquer tipos de análises a não ser a dos sentimentos, não há nada mais enervante do que, por exemplo, entrar no banheiro (hora sagrada e individual) e, imediatamente após, em questão de segundos, um filho chamar para resolver uma briguinha com o irmão, ou para pedir um chiclete ou outra bobagem qualquer. Sim, eu sei, para eles é importante, não é bobagem. Mas lembre-se, a proposta foi agora pensar somente do ponto de vista dos pais. Principalmente porque todos (ou pelo menos a grande maioria) os livros só abordam o ponto de vista dos filhos, ignorando ou deixando de lado o ângulo dos pais. E no entanto é importante falar dessas dificuldades sem medo, culpas ou remorso.

Em geral, quando os filhos nascem, já temos mais ou menos delineada a idéia básica do que se pretende fazer quanto à sua educação. Claro, tudo é teórico, mas as linhas gerais, as bases do que se acredita deva ser feito já estão na nossa cabeça. Com o tempo, vamos nos deparando com dificuldades na execução dessas teorias. A cada dia, renovamos os propósitos iniciais (claro, se ainda acreditamos neles). A cada momento, quando nos afastamos do que pretendíamos fazer, sentimo-nos frustrados e incapazes. Isso é tão mais verdadeiro quanto mais altos forem nossos objetivos de liberalidade e democracia nas relações. E por quê? Porque, sem dúvida, o exercício da democracia é muito mais difícil do que o autoritarismo, assim como requer uma dose muito maior de paciência, diálogo e capacidade de esperar pelos resultados desejados. Mandando, o resultado acontece na hora; dialogando e explicando, ocorre quando e somente quando a criança se convence.

O que quero dizer com isso? Que é muito mais fácil por exemplo cortar a mesada de um filho muito "gastador" do que ensinar-lhe o valor do dinheiro ou a melhor forma de administrá-lo. Se o pai tende a um comportamento autoritário, quando seu filho lhe pede um adiantamento da mesada apenas iniciado o mês, ele nega e pronto. O filho poderá aborrecer-se, mas nada poderá fazer quanto a isso, caso o pai mantenha sua posição. Por outro lado, se o pai quer ensinar o filho a "esticar" a mesada pelos trinta dias, terá uma série de etapas pela frente. Primeiramente, deverá ouvir a criança quanto às suas necessidades, prioridades e interesses (que podem ser totalmente diferentes dos seus — e em geral são mesmo). Afinal, foram eles que fizeram o filho gastar tudo antes de decorrido o mês. Desta forma, ao estabelecer esse diálogo, já de início, poderia surgir um impasse. Os pontos de vista são opostos. Qual o correto? Sem dúvida, cada um achará que é o seu. E aí? Bem, e aí se o pai continua desejando não agir de forma autoritária, certamente adiantará parte da próxima mesada, se julgar que as explicações foram plausíveis. Provavelmente, ao fazer isso, estabelecerá algum tipo de "cobrança", do tipo "é a última vez", "só gaste o estritamente necessário", ou "vou descontar mesmo no mês que vem". Essa atitude poderá ser interpretada pelo filho como uma forma de CONTROLE. Ele provavelmente o acusaria de autoritário, apesar de esta não ser uma atitude autoritária, mas EDUCATIVA. Entretanto, nem todos pensam assim. Alguns certamente diriam que a decisão deveria ter ficado a critério do filho. Mais uma vez a diferença entre a teoria e a prática — caso o pai aceitasse o pedido e lhe desse um adiantamento da mesada, com certeza essa situação voltaria a suceder várias vezes, até que ele entendesse que os adiantamentos estavam apenas reforçando uma situação cômoda para o filho e decidisse não conceder mais nenhum. Isso seria arbitrário? Autoritário? Exercício de quem detém o poder? Para alguns autores, como demonstrei em capítulos anteriores, sim.

Do meu ponto de vista, autoritário seria o pai que, sem qualquer explicação, logo de primeira negasse o pedido, sem questionamentos e nenhuma oportunidade de diálogo. Aqueles que, entretanto, tentam, inicialmente, explicar, ajudar, compartilhar e ouvir não são autoritários, nem é antidemocrático não conceder um adiantamento, caso isso já tenha sido feito várias vezes e o pai considere que o filho realmente está precisando aprender a administrar seu dinheiro. Muita gente confunde ser democrático com deixar o filho fazer somente e sempre o que bem entender. Os pais têm todo o direito, e até mesmo o dever, de ajudar seus filhos. Isso pode implicar controle sim, mas o controle não é obrigatoriamente uma coisa negativa, nem autoritária, nem antidemocrática. No exemplo da mesada, por várias vezes o desejo do filho foi atendido — oportunidades de reflexão foram dadas através de diálogo, explicações e dinheiro mesmo. Como não resolveu, o pai teve que adotar uma outra estratégia. A negativa de um novo adiantamento foi uma forma concreta e eficiente de conseguir que o rapaz se estruturasse dentro dos limites financeiros que a família podia lhe dar. Não será assim também mais tarde, na vida, afinal?

Seria interessante pensarmos, portanto, no significado desses termos, tão utilizados mas nem sempre suficientemente analisados. Comecemos com a expressão EDUCAÇÃO LIBERAL.

Quando uma pessoa se diz "liberal", ela acredita que está se elogiando. Sim, porque, sem dúvida, a nossa sociedade confere ao termo um caráter altamente positivo. Portanto, dá *status*, é elegante e tem aprovação social ser "liberal". Educar os filhos dentro da concepção liberal então é superchique! Mesmo que não saibam o significado real do termo, muitos são os que se dizem liberais, justamente pelo caráter de aprovação social, pela conotação positiva que esta palavra tem no nosso meio social, principalmente entre a classe média.

Segundo Libânio, em seu livro *Democratização da escola pública*:

> "... o termo LIBERAL não tem o sentido de 'avançado', 'democrático', 'aberto', como costuma ser usado. A doutrina liberal apareceu como justificativa do sistema capitalista que, ao defender a predominância da liberdade e dos interesses individuais na sociedade, estabeleceu uma forma de organização social baseada na propriedade privada dos meios de produção, também denominada sociedade de classes... A educação brasileira, pelo menos nos últimos cinqüenta anos, tem sido marcada pelas tendências liberais, nas suas formas ora conservadora ora renovada." (p. 21)

Parece-me, então, que a primeira coisa a ser repensada é a idéia, muito difundida, de que ser liberal é sinônimo de ser moderno. Nas escolas, conforme o texto acima, as linhas pedagógicas liberais têm cerca de cinqüenta anos... Não é, portanto, propriamente uma novidade em termos educacionais. Além disso, é interessante que os pais saibam que a teoria liberal deriva do que há de mais antigo no ensino, a Escola Tradicional.

Uma outra reflexão importante refere-se ao uso do termo "liberal" com o sentido de "democrático, como se fossem sinônimos. Essa é uma outra idéia que precisa ser revista. Nem sempre um liberal é democrático, assim como, muitas vezes, o liberal pode ser bastante conservador e nada moderno. É muito conhecida a expressão "nada mais conservador do que um liberal no poder".

Em conseqüência desse tipo de interpretação, a ação dos pais tende a ser a de "deixar a criança fazer tudo", porque, dentro dessa ótica equivocada, essa seria a forma operacionalizada do "ser democrático": "Como sou liberal, estou de bem com a vida, deixo meu filho fazer o que tem vontade. Como sou democrático, nada imponho, tudo permito." No caso do exemplo da mesada, um pai que pense ser liberal nada impondo liberaria sucessivamente a mesada sempre que solicitado. Só que assim, muito embora provavelmente o filho o achasse "um grande barato", ele estaria erradamente fazendo-o crer que, futuramente, na vida, sempre existiria alguém para prover o seu sustento. Isso se não chegasse um momento em que o próprio pai esgotasse suas possibilidades financeiras. Talvez, nas classes mais favorecidas, isso seja até improvável. A maior parte já nasce com grandes possibilidades de ter seu sustento garantido, através de herança, ou ao assumir o lugar do pai em suas empresas, lojas ou escritórios. Mas a questão é: QUE TIPO DE HOMEM QUERO CRIAR?

Certa vez, uma amiga contou-me que, ao contratar uma nova babá, perguntou-lhe na entrevista sobre seu emprego anterior. A moça relatou, então, que trabalhara durante dois anos na casa de uma psicóloga, mãe de uma menina de um ano. Indagada sobre o motivo que a levara a deixar o emprego, respondeu que fora pelo fato de a patroa e ela não se entenderem sobre a forma de lidar com a menina. Por medo de frustrá-la, a mãe nada lhe negava e, pior ainda, nada lhe ensinava. Por isso, aos três anos a menina fazia cocô no chão da sala de estar. Discordando disso, inclusive porque era ela quem tinha que fazer a limpeza do chão, a babá ensinou a criança, enquanto a mãe estava no trabalho, a usar o banheiro. A menina aprendeu porque essa aprendizagem lhe foi ensinada naturalmente, e não se tornou frustrada nem traumatizada por fazer suas necessidades no local apropriado, ao contrário do que temia a mãe.

Este exemplo — verídico — é impressionante. Primeiro, porque mostra-nos que o medo que determinados pais sentem na relação com seus filhos leva-os a situações completamente surrealistas e impensáveis há alguns anos. O pior é que tais atitudes têm por base a distorção na interpretação dos conceitos e dos postulados das modernas linhas da Pedagogia e da Psicologia. Embora psicóloga, a mãe do exemplo citado não entendeu verdadeiramente o que estudou. Seu conhecimento, por isso mesmo, tornou-se apenas um elemento de pressão sobre a sua prática. É, sem dúvida, um exemplo daquilo que denominamos "psicologismo". Além de tudo, o mais impressionante é que essa atitude da mãe, sem dúvida extremamente desgastante para ela própria no seu dia-a-dia, era totalmente desnecessária, como ficou comprovado pela maneira rápida e natural com que a menina recebeu a orientação da babá — que não tinha "culpas" para carpir e, portanto, pôde levar a aprendizagem pretendida a bom termo e sem problema algum.

Com medo de errar, de frustrar ou castrar os filhos, os pais complicam o dia-a-dia, transformando em problemas as coisas mais simples da vida.

Outra coisa que me pergunto é se essa mãe, caso tivesse ela própria que limpar o chão da sala, persistiria nesse tipo de atitude. Talvez as facilidades de que a classe média goza tenham também um certo grau de participação nessa tão alardeada "liberdade" que concede aos seus filhos.

Alguns princípios creio que não devem jamais ser esquecidos — o respeito ao outro, ao limite do outro, por exemplo. Não é muito mais democrático ensinar o respeito ao próximo do que deixar que uma criança aja sem qualquer controle ou orientação? Porque a democracia pressupõe, antes de mais nada, a existência do outro como indivíduo, e não como servo ou escravo.

Aliás, a esse respeito cabe ainda uma outra reflexão. Do ponto de vista psicológico, cabe uma pergunta: como se sentiria essa criança ao freqüentar, por exemplo, uma escola ou a casa de amiguinhos? Será que ela não ficaria muito mais frustrada ao perceber o quanto se tornara "diferente" das demais crianças? Sim, porque, felizmente, a esse extremo são poucos os pais que chegam... Ela seria fatalmente alvo de piadinhas, risos ou até desprezo. Assim, querendo "não frustrar", esta mãe estará, talvez, conseguindo exatamente o oposto do que pretendia, porque a necessidade de ser aceito pelo grupo, amado e por ele respeitado é parte essencial das necessidades básicas do ser humano. Portanto, seria muito menos frustrante para a criança aprender a fazer sua higiene pessoal como todo mundo do que tornar-se vítima de gracejos ou até de sanções do grupo.

Ser democrático não implica fazer tudo que os filhos desejam, ceder a todas as pressões e exigências, nem comprar tudo o que pedem, nem deixar que decidam os programas que a família fará no fim de semana, nem deixar que destruam toda a casa, nem que se alimentem pessimamente porque só comem o que querem, nem deixar que só estudem quando querem etc. Principalmente, não é nos tornarmos meros executores dos desejos desses seres que tanto amamos, mas que, quando lhes é permitido, tornam-se senhores exigentes e, apesar de tudo que se lhes conceda, invariavelmente insatisfeitos.

Ser democrático é criar uma estrutura familiar em que todos têm acesso à participação nas decisões, nos problemas e nas soluções de cada situação. É incentivar a que seu filho discuta com você a melhor maneira de conviverem, a melhor forma de solucionar alguma questão doméstica; é enfim desenvolver o salutar hábito de conversarem e de, todos juntos, tomarem decisões.

Fazer isso na prática não é tão difícil como pode parecer. Evidentemente, é preciso que todos, ou pelo menos a maioria das pessoas que compõem o grupo familiar, estejam realmente interessados nesse objetivo. "Na democracia, vence a maioria." Exatamente. E só se pelo menos a maioria estiver interessada neste tipo de vida é que a família poderá estruturar-se para assim viver.

É muito importante lembrar que a democracia pressupõe a representatividade, ou seja, as pessoas escolhem, pelo voto, os seus governantes. Eleitos, eles nos representam, tomam decisões por nós, que os escolhemos por acreditarmos que serão capazes de exprimir o nosso pensamento e as nossas convicções. Esses representantes do povo são os vereadores, deputados, senadores, prefeitos, presidentes etc. A partir do momento em que tomam posse do cargo, sua tarefa é justamente nos representar, decidir por nós. Essas decisões são tomadas após consultas "às bases", mas são eles que decidem. Isso não os torna, de forma alguma, pessoas autoritárias. Segundo Norberto Bobbio, em seu livro *Liberalismo e democracia*:

> "... a democracia representativa também nasceu da convicção de que os representantes eleitos pelos cidadãos estariam em condições de avaliar quais seriam os interesses gerais melhor do que os próprios cidadãos". (p. 34)

Há um engano muito comum entre as pessoas: acreditam que democracia se faz com a participação de TODAS as pessoas em TODAS as decisões, em TODOS os momentos. Para que isso ocorresse seria necessário que passássemos todos os minutos dos nossos dias reunidos, discutindo as decisões a serem tomadas. Não sobraria tempo, portanto, para executar essas decisões. Isso não é, certamente, democracia.

Na família, até que os filhos cresçam, não há outra possibilidade a não ser delegar aos pais a função de "governantes", já que as crianças até uma certa idade não têm condições de viverem sós e de gerirem suas vidas. Portanto, até se tornarem independentes, cabe aos pais a tarefa de representá-las, orientá-las, decidir por elas, protegê-las. Evidentemente, à medida que crescem, os pais que querem ter uma relação democrática com seus filhos irão, pouco a pouco, lhes dando mais e mais espaço decisório.

Depois de algum tempo, num determinado momento do processo, todos os assuntos poderão ser discutidos e avaliados por todos.

Há um outro aspecto muito importante a ser colocado e que os pais devem clarificar para seus filhos: numa organização em que todos participam das decisões, todos devem participar também da execução. Não se trata apenas de dividir o poder, trata-se também de dividir as responsabilidades. Assim, e somente assim, haverá de fato uma relação democrática. Enquanto os pais adotarem atitudes pseudodemocráticas em que os filhos opinam mas não participam da execução daquilo que defendem, não estará havendo uma relação realmente igualitária, mas apenas mudança no eixo de poder da relação. Antes, eram os pais que tudo decidiam e impunham seu modo de pensar e agir. Agora dar-se-ia o inverso: os filhos determinariam o que deveria ser feito. Com um agravante a mais — caberia aos pais a tarefa da execução, porquanto as crianças ainda não podem proceder a seu próprio sustento.

Os pais podem estar, portanto, muito seguros: TOMAR DECISÕES PELOS FILHOS, ENQUANTO ELES AINDA NÃO ESTÃO HABILITADOS PARA TAL, NÃO É, DE FORMA ALGUMA, ANTIDEMOCRÁTICO. Negar-lhes algumas coisas também não transformará os pais em pessoas autoritárias, desde que a forma com que se nega seja segura, mas não agressiva. Até mesmo deixar de fazer algumas das vontades dos filhos porque não estão de acordo com as nossas vontades daquele momento não fará com que, obrigatoriamente, as crianças fiquem frustradas ou traumatizadas, como tanto temem alguns pais. Talvez até, dependendo da segurança com que colocamos as coisas, do carinho que lhes damos no dia-a-dia, essas negativas lhes sejam benéficas, porquanto ajudarão a forjar sua capacidade de tolerar frustrações, indispensável ao equilíbrio emocional de todos.

Muitas pessoas confundem democracia com "fazer tudo o que quiser". Ou seja, se reivindicam alguma coisa e você não concorda, mesmo que argumente e prove o porquê da sua posição, você será inevitavelmente tachado de antidemocrático ou autoritário. Inflexível e rígido, no mínimo. Quer dizer, a pessoa se dirige a você, na verdade, não com uma idéia a ser discutida, mas com uma imposição mascarada. E chamar o outro de autoritário costuma funcionar. Já vi isso acontecer inúmeras vezes no meu trabalho na Faculdade. Às vezes, os alunos solicitavam, por exemplo, o cancelamento de uma prova, ou a supressão de alguns tópicos do programa (para estudar menos e facilitar a aprovação). Como professora, eu ouvia, explicava que isso implicaria um empobrecimento do curso, uma queda de qualidade do ensino, mas quaisquer argumentos já estavam *a priori* fadados ao fracasso, porque a única forma de escapar à pecha de antidemocrático ou inflexível era fazer o que eles queriam. Nenhum argumento seria capaz de convencê-los. Obviamente, depois de discutir e argumentar, muitas vezes eu e outros colegas vimo-nos obrigados a tomar decisões unilateralmente, porque percebíamos que, por trás de um discurso pseudodemocrático, havia na verdade uma desculpa para estudar menos. O mesmo pode ocorrer na relação com nossos filhos.

Sobre liberalismo, vejamos o que diz Bobbio, no mesmo livro:

> "A existência atual de regimes denominados liberal-democráticos ou democracia liberal leva a crer que liberalismo e democracia sejam interdependentes. No entanto, o problema das relações entre eles é extremamente complexo, e tudo menos linear. Na acepção mais comum dos dois termos, por 'liberalismo' entende-se uma determinada concepção de Estado, na qual o Estado tem poderes e funções limitados, e como tal se contrapõe tanto ao Estado absoluto quanto ao Estado que hoje chamamos de social: por 'democracia' entende-se uma das várias formas de governo, em particular aquelas em que o poder não está nas mãos de um só ou de poucos, mas de todos, ou melhor, da maior parte, como tal se contrapondo às formas autocráticas, como a monarquia e a oligarquia. Um Estado liberal não é necessariamente democrático: ao contrário, realiza-se historicamente em

> sociedades nas quais a participação no governo é bastante restrita, limitada às classes possuidoras. Um governo democrático não dá vida necessariamente a um Estado liberal: ao contrário, o Estado liberal clássico foi posto em crise pelo progressivo processo de democratização produzido pela gradual ampliação do sufrágio universal." (pp. 7-8)

Ainda segundo o mesmo autor, enquanto teoria do Estado o liberalismo é moderno, e a democracia, como forma de governo, é mais antiga.

Para o nosso estudo, o importante é compreender que, embora tenham relação, os dois termos não são sinônimos, e, no decorrer do tempo, nem sempre o Estado liberal foi democrático.

Modernamente, a democracia pode ser considerada um prosseguimento natural do liberalismo. Na verdade, esta discussão é bastante complexa. Muito já se escreveu sobre o assunto e as opiniões se contrapõem sem que se chegue a conclusões unânimes.

O problema das relações entre liberalismo e democracia se situa na complexa relação entre liberdade e igualdade.

Qual o significado desta afirmativa na relação familiar?

Se você tem três filhos e quer dar a cada um deles as mesmas oportunidades (igualdade), terá que deixar que cada um exiba e pratique sua liberdade individual, em termos de criatividade, de expressão, de relacionamentos ou de escolhas. Isto quer dizer, em termos práticos, que se um deles gosta de cantar, o outro de batucar e o terceiro aprecia o silêncio e a meditação, deve obrigatoriamente haver espaço na sua casa para que todos possam exercer suas preferências. Neste caso, ou você tem três aposentos disponíveis ou então nada feito. No primeiro caso, tudo bem. Mas no segundo terá que haver uma disposição de entendimento por parte de cada um dos membros da família para que se chegue a um acordo e cada um, em dado momento, possa fazer o que quer sem prejudicar o outro. Assim, a igualdade seria preservada, mas a liberdade sofreria uma limitação. Em alguns casos, pode ser necessário suprimir ou a liberdade ou a igualdade, porque às vezes elas podem ser incompatíveis. Por exemplo, se você, cansado depois de um dia inteiro de trabalho, quer ouvir um som relaxante, calmo, baixinho, e o seu filho adolescente quer ouvir um *rock* "da pesada", alguém vai ter que abrir mão ou da liberdade (ouvir o som de que gosta) ou da igualdade (deixo tocar o *rock* e não ouço a música clássica).

É uma ilusão pensar que a convivência pode ser experimentada sem restrições mútuas. O importante é que, tendo consciência disso, numa relação democrática se fará o mínimo de restrição à liberdade de QUAISQUER dos membros da família. Nem só os filhos devem ter sua liberdade cerceada, como nas gerações passadas, como tampouco o ônus deve recair exclusivamente sobre os ombros dos pais.

Para os pais esta deve ser a questão: decidir o ponto em que se deseja equilibrar liberdade e igualdade:

> "Para o liberal, o fim principal é a expansão da personalidade individual, mesmo se o desenvolvimento da personalidade mais rica e dotada puder se afirmar em detrimento do desenvolvimento da personalidade mais pobre e menos dotada; para o igualitário, o fim principal é o desenvolvimento da comunidade em seu conjunto, mesmo que ao custo de diminuir a esfera de liberdade dos singulares."* (p. 39)

*Lee Salk, *O que os pais devem saber.*

Parece, portanto, que os pais têm que decidir: Quero mais liberdade ou mais igualdade? Isto é, quero fazer com que meus filhos desenvolvam todo o seu potencial e personalidade ou quero que eles cresçam respeitando-se a si próprios e aos outros? Segundo o texto acima, poderia haver, na prática, uma certa incompatibilidade entre ser liberal e ser democrático. Ser liberal seria deixar aflorar todo o potencial das crianças sem podá-las, de forma alguma. Isto significa a liberdade dos demais que com elas convivem, por exemplo, os próprios pais. É, mais ou menos, o que tenho testemunhado (e vivido): na ânsia de atender ao aspecto liberal da educação, os pais acabam sem saber se podem ou devem estabelecer algum tipo de limite aos filhos, de forma a assegurar a igualdade de direitos entre todos os membros da família (pais e filhos). Nas gerações anteriores, não havia, no seio familiar, nem igualdade, nem liberdade. Simplesmente, "a classe dominante" eram os pais, e os filhos os "dominados". Na geração atual, a situação vem se transformando radicalmente.

Os pais começaram um processo altamente positivo de liberalização das relações com seus filhos. Só que não definiram limites para esse processo, pois, na maioria dos casos, não houve uma tomada de posição consciente e, sim, uma onda de influências a que eles se submeteram, receosos de serem tachados de "quadrados", "antiquados", "caretas".

A falta de definição clara dos seus objetivos fez com que ocorresse uma mudança de 180 graus — a classe dominada de hoje é a dos pais, que se submetem a todos os desejos e exigências de seus filhos. A liberdade dos filhos é tão grande que sufoca a liberdade dos pais, que, neste processo, transformaram-se de dominadores em dominados.

Ora, já vimos que essa situação não pode nem precisa ocorrer dessa forma radical. Basta apenas que se faça a opção pela democracia nas relações familiares. Democráticos sim, dominados jamais. Os pais devem definir os limites que em sua organização familiar cada um deve ter, discutindo com as próprias crianças esses critérios. Assim, a liberdade da relação estará sendo garantida, assim como a igualdade de direitos (entre pais e filhos). Estabelecidos os direitos e deveres de cada um, todos os integrantes daquela família devem cumprir e zelar pelo cumprimento das regras estabelecidas.

Consciente de que tanto pais como filhos podem ser membros igualitários da relação (democracia), os pais terão mais segurança para estabelecer e definir limites, sem que estes prejudiquem o desenvolvimento harmonioso e integral da personalidade de seus filhos (liberalismo) e sem que os pais transformem-se em fantoches ou se sintam despersonalizados ou subjugados pela "obrigação de não errar, não frustrar, não ser autoritário". Cada um respeitando o outro nos seus direitos, nas suas dificuldades e fraquezas, partilhando das vitórias e dos fracassos, dos momentos felizes e tristes, mas com igualdade de direitos e autenticidade na relação. É difícil, mas é um objetivo pelo qual vale a pena lutar...

VI

Culpa — um problema a ser discutido

Já analisamos muita coisa, já falamos de muitos conceitos complexos. Mas ainda falta discutirmos um dos mais complicados sentimentos humanos, que é o SENTIMENTO DE CULPA. Não pretendo discutir este tema do ponto de vista da Psicologia. Como mãe, prefiro compartilhar com outros pais o problema da culpa do ponto de vista prático, ou seja, do ponto de vista de quem já se culpou (e muitas vezes ainda se culpa) de muita coisa em relação aos filhos.

Nos capítulos anteriores vimos por que os pais estão se sentindo constrangidos a adotarem determinados tipos de atitudes inapropriadamente consideradas "liberais" e "democráticas" devido a um clima social subliminar de aprovação a elas.

Também a psicologização excessiva das publicações, artigos de revistas, programas de rádio e TV, sem um maior aprofundamento, vem levando os pais a agirem em conformidade com essas idéias, veiculadas como imagem do "melhor pai", do pai "moderno", da "educação moderna".

Muitas vezes são divulgadas pela imprensa, e mesmo para professores, teorias que ainda não foram suficientemente testadas e avaliadas a longo prazo, mas que influenciam e determinam o *modus operandi* das pessoas. Basta tomarmos como exemplo a própria escola brasileira, que, nas últimas décadas, sofreu uma exagerada liberalização, a qual vem sendo hoje revista e discutida, em função de uma série de conseqüências não previstas e não desejadas.

Com todos esses fatores, é de se esperar que os pais executem, ou pelo menos tentem executar, da melhor forma possível, o papel que a sociedade lhes coloca. A maioria faz isso mesmo. Sem questionar muito conscientemente, sem escolher qual o "tipo" de pai ou mãe que pretende ser, sem mesmo discutir com o seu parceiro da aventura de ter filhos "qual é a educação que queremos?", os pais, de repente, têm um neném nos braços. E aí, é tanta fralda para trocar, tanto cocô para limpar, tanto choro para escutar, tanta noite sem dormir que a gente entra num roldão, num tufão em que somos tudo, menos aqueles modelos idealizados pelas revistas, livros e artigos de jornais. A gente até tem uma idéia do que gostaria de ser como pais, mas, na verdade, acaba sendo o que dá para ser... Agora, na hora em que a gente deita na cama, que o neném está dormindo "lindo como um anjo" (a sabedoria popular não surge à toa...), é aquela horinha em que se costuma rever o dia que passou, tudo que aconteceu. Aí a gente lembra que se irritou com o neném porque ele cuspiu a papinha pela quinta vez no braço (ou no rosto) porque ele, "tadinho", quis comer sozinho, coisa que a gente já leu que faz parte importante do crescimento, do desenvolvimento motor etc. Mas a gente não deixou porque ia cair tudo de novo no chão e a gente está sem empregada, ou não tem empregada, ou ela está de cara feia. A gente lembra também de um "apertãozinho" disfarçado que deu no braço do mais velho (que só tem quatro aninhos, afinal) porque ele já estava de novo "acariciando" o caçulinha com aquele seu jeitinho especial de sempre fazê-lo acordar ou chorar. E, não sei onde, mas a gente leu que deve deixar os irmãos se relacionarem sozinhos, interferindo o mínimo possível. E mais o quê? Ah, chega. Já estamos com insônia mesmo, é melhor parar de pensar sobre estas coisas angustiantes. E fazer a seguinte promessa a si mesmo: de amanhã em diante, vou tentar me controlar mais, ser mais liberal, menos nervoso, incentivar mais a criatividade das crianças, mesmo que dê o dobro do trabalho etc.

O domínio total da CULPA. Inexorável. Toda noite. Com exceção daquelas em que a gente cai "durinho" na cama, para dormir rápido, já que as crianças também estão dormindo. Ah, abençoadas noites em que não conseguimos pensar... Livramo-nos do cansaço, mas principalmente DELA — a culpa.

Quando a culpa se instala, a gente faz mil promessas, traça mil planos, se arma de boas intenções e se prepara para o novo dia. Sim, porque dormir, só depois de conseguir equacionar tudo na cabeça. A sensação é terrível. A gente se condena ao fogo eterno, vê tudo negro, nossos filhos fadados a um futuro cheio de traumas e frustrações devido à nossa total incapacidade de lidar com a energia esfuziante e a criatividade inesgotável deles. É, a gente fica na pior mesmo. Não temos mais aquela fibra... Enfim, a gente se vê como o último dos seres humanos.

E aí, o que acontece? Com a culpa dominando nossas ações, oriunda da insegurança (já discutida anteriormente), o dia seguinte se torna algo assim: ou se tenta realmente modificar aquilo que convencionamos chamar "nossas falhas anteriores" ou se tenta minimizar o que consideramos "o mal que causamos". Pode também ocorrer que simplesmente, de repente, sem que as crianças compreendam bem por quê, NAQUELE DIA PODE TUDO.... E, ao final daquele dia, a gente acha que melhorou, que CON-SE-GUIU!... A gente acha que conseguiu personificar o nosso modelo ideal de pai, mas a verdade é que apenas conseguiu minimizar as nossas culpas por não termos conseguido concretizar um ideal.

De qualquer jeito, estas intenções não duram muito. Geralmente, após alguns dias, por pressões de tempo, do trabalho etc., a gente se vê novamente repetindo os comportamentos que tanto condena.

Quando as modificações no comportamento dos pais têm por base uma análise real do seu modo de educar os filhos e desde que esta análise tenha produzido uma autocrítica na qual os pais estejam realmente convencidos de que estão errando na forma de educar, tudo bem, ótimo! No entanto, se a mudança tiver origem em fatores externos, sociais, e não numa motivação real, interior, então nada mudará de fato. Porque não se consegue agir sem autenticidade por muito tempo. Simplesmente, por um dia ou dois, os pais agirão da forma que parece ser a que a sociedade ou os meios de comunicação lhes ditaram como a mais adequada (evidentemente, sem saber que estão agindo para atender a pressões externas). Ao final desse tempo, como a culpa já se atenuou, ou como as crianças, aproveitando a situação, imperdível, estão verdadeiramente INSUPORTÁVEIS, eles acabam dando um "basta" que será mais ou menos brando, dependendo do quanto agüentaram coisas que não queriam. E, então, se o "basta" for muito severo, excessivamente impulsivo, terão a noite inteira para se arrepender e o dia seguinte para tentar ser "perfeitos"... Aí está o círculo vicioso a que muitos pais estão presos, hoje em dia.

Insegurança e culpa — dois aliados perfeitos e eficazes para complicar de forma total a vida de pais e filhos.

A revisão permanente das atitudes que tomamos, seja como pais, como profissionais, como gente enfim, é extremamente saudável. A situação que gera a culpa é aquela em que os pais, influenciados por fatores com os quais não concordam ou sobre os quais não meditaram suficientemente, adotam atitudes nas quais não acreditam na verdade. Por isso mesmo, não conseguem mantê-las por muito tempo, partindo para ações opostas, que ocorrem na mesma medida da força com que violentaram suas verdadeiras idéias, inconscientemente pressionados por aspectos externos. A auto-avaliação é, sem dúvida, extremamente útil e deve ser utilizada com freqüência pelos pais. O que não devemos utilizar são as fórmulas nas quais não acreditamos, as atitudes "tomadas de empréstimo" àqueles que, muitas vezes, nem testaram, na prática, suas teorias. Devemos, como pais e educadores, ter em mente também que muitas "teorias" escondem, sob uma aparente liberalidade, objetivos sociais e políticos, com os quais podemos não concordar, se os conhecermos. Há uma tendência generalizada das pessoas em acreditar em tudo que está impresso. É imenso o poder dos meios de comunicação, como a TV e o rádio. Em geral, as pessoas acham que se "saiu num livro" ou "deu na televisão" é verdade. É preciso que nós, pais-educadores, tenhamos um projeto próprio, pessoal, de educação para os nossos filhos, sobre o qual tenhamos refletido a ponto de nos sentirmos seguros o suficiente para enfrentarmos oposição a nossas atitudes e pensamentos. Que esse projeto surja da nossa decisão pessoal, como pai e mãe do ser que tanto amamos. Pode ser fruto ou cópia de uma teoria, ou pode ser uma miscelânea de teorias. O que importa é que acreditemos nele e que comprovemos na prática que está funcionando bem, na medida em que virmos nossos filhos crescendo felizes e nós também não nos sintamos sacrificados, mas íntegros na relação com eles. É preciso distinguir até que ponto estamos agindo por nós mesmos, por algo em que acreditamos, e até que ponto a nossa ação está sendo MECANICAMENTE comandada pela influência daquilo que lemos, ouvimos e vemos, mas ainda não questionamos verdadeiramente, para podermos então nos posicionar e, aí sim, agir.

A falta de consciência, de uma decisão madura e pensada nas nossas ações nos leva a agir de acordo com modismos que, como tal, podem mudar a cada ano, mês ou dia, tornando inviável um mínimo de segurança na nossa relação com as crianças.

Não quero com isso dizer que, se temos uma teoria de educação, então nunca mais teremos culpas ao lidarmos com nossos filhos. Somos falíveis e, portanto, muitas vezes nos afastamos daquilo em que cremos. Sem dúvida, é muito difícil o dia-a-dia de um pai. As crianças são insistentes, sabem defender o que desejam, e nem sempre estamos nos nossos melhores dias. Portanto, seguir uma "linha" não significa que nunca erraremos ou que nunca mais sentiremos culpa. Apenas AJUDA A EVITAR QUE SEJAMOS DOMINADOS PELA CULPA. Quando agimos de forma "errada", corrigir a nossa atitude se torna mais fácil, porque temos uma bússola, uma orientação. Pernicioso é agirmos atormentados pela culpa e, por isso mesmo, adotarmos uma série de atitudes nas quais não acreditamos, apenas para aliviarmos a dura sensação de nos sentirmos culpados.

A culpa pode surgir também do desejo muito grande de "acertar". Há uma excessiva preocupação, uma exigência de perfeição muito grande no que diz respeito à necessidade de "fazer o certo" ou, no dizer de Bettelheim, "ser bom o bastante". Embora seja extremamente positiva, essa vontade de acertar (ou o medo de errar?) pode detonar o processo de culpa, porque a qualquer momento podemos perder as estribeiras, ralhar, ou agir de forma que não corresponda ao modelo de pai/mãe que elaboramos para nós mesmo. Aí, não tem jeito: a culpa aparece mesmo.

Considero quase impossível criar filhos, hoje, sem sentir culpa. Mas a culpa será tanto maior quanto mais agirmos por influência de teorias com as quais não concordamos ou nas quais não acreditamos, mas às quais não conseguimos nos opor. É muito importante organizar a cabeça para saber administrar esse sentimento, evitando que ele tome conta de nós. Isso só será possível se conseguirmos EVITAR AGIR MOVIDOS PELA CULPA. Quando nos sentimos culpados, temos que tentar analisar o que gerou este sentimento, para então redirecionar a relação conscientemente.

A mãe que trabalha fora é uma das maiores vítimas da culpa. Embora se diga que a nossa sociedade evoluiu, liberou a mulher etc., na verdade isso só ocorreu em parte. Realmente, hoje poucos são os que criticam uma mulher por trabalhar fora; ao contrário, dá até um certo *status* ter uma profissão, ganhar seu sustento, contribuir para a renda familiar. Entretanto, não surgiram, de uma maneira geral, medidas concretas para dar à mulher uma infra-estrutura que lhe permita, ao chegar em casa, evitar a famosa "segunda jornada de trabalho". A cada dia é mais difícil para a classe média contar com a ajuda que existia outrora. As creches são caras e nem sempre funcionam todo o tempo que se precisa. Então o que ocorre é que acaba sendo tarefa da mãe, na grande maioria dos casos, dar aos filhos toda a atenção e carinho que eles desejam, saudosos que estão após um dia inteiro fora de casa. Não porque os pais não liguem, ou sejam maus com os filhos. É uma coisa cultural. Os pais não se sentem culpados por terem ido trabalhar, porque sempre foram os homens os provedores do sustento familiar. Então eles estão acostumados a ver o pai, o avô ou o tio terem o direito de, chegando a casa, pegar o jornal, ver TV, sentar na poltrona à espera do jantar, com direito ao descanso enfim. A mulher não. Nem ela mesma está ainda conseguindo se ver assim. Então o mais comum é ela chegar, arrumar as mochilas das crianças, ver as roupas, dar banho, preparar o jantar, ir buscar na creche à saída do trabalho, preparar as caminhas na hora de dormir, brincar, ver os deveres de casa, ajudar na pesquisa que a escola mandou fazer etc.

E tudo isso é feito pelas mães, sem questionar. É como se elas próprias ouvissem uma voz lhes dizendo: "É assim mesmo que tem que ser. Afinal, você trabalha fora porque quer..." — esta "voz" é a voz subliminar da sociedade, que, embora incentive a profissionalização da mulher, ao mesmo tempo a "castiga" pelos "danos" ou "negligências" causados por sua ausência em casa, ao lado dos filhos (a esse respeito, leia os resultados da pesquisa sobre culpa, no Capítulo VIII).

Muitos são os maridos que, ainda hoje, aceitariam de bom grado que as esposas apenas se dedicassem aos filhos e à casa. Portanto, "foi você quem quis, agora agüenta", parecem lhes dizer. Ou serão elas mesmas que se condenam? Sem dúvida, as crianças precisam de muita atenção e amor. Devemos mesmo nos desdobrar nesta tarefa. Mas por que não dividi-la com o pai? Porque, no fundo, no fundo, as próprias mulheres acham que estão fugindo de sua obrigação ao deixarem os filhos numa creche e irem para o trabalho. Se um filho adoece, é raríssimo que se questione quem vai faltar ao trabalho para ficar com o filho em casa. Naturalmente, espera-se que a mulher o faça. Aliás, em geral, nem mesmo ela questiona isso, porque, provavelmente, não conseguiria conviver com a culpa de não cuidar, ela mesma, do filho doente. Saudável, já é difícil deixá-lo na creche ou com a babá; doente então, nunca! Nem mesmo com o pai...

Fugiria ao nosso tema analisar as relações homem-mulher no casamento moderno. O que importa é chamar a atenção para o fato concreto de que as mulheres que trabalham fora de casa são mais suscetíveis ao problema da culpa. Tornam-se, por isso, mais propensas a se submeterem aos caprichos e exigências dos filhos, porque tudo que acontece é encarado como produto da sua ausência, quando, inconscientemente, elas sentem, sua presença "deveria ser integral" junto aos filhos.

Uma das mães que observei só recebia os amigos após o filho adormecer. Quando algum amigo chegava para visitá-los antes de o menino ir para a cama, ela se sentia obrigada a permanecer no quarto até que a criança adormecesse, cansada de ver televisão ou de ouvir histórias. O hábito se criou porque a própria mãe o estimulou. Era quase como se ela estivesse punindo a si própria por ter ficado tanto tempo fora de casa, durante o dia (trabalhando). Essa "operação" podia durar até duas horas diariamente, sem exceção...

Outra mãe que observei tinha que deitar-se sempre ao lado da filha até a criança adormecer, porque ela jamais ia dormir sozinha, chorando e fazendo cenas terríveis até obter a companhia da mãe.

Essas duas mães trabalham fora, em horário integral. E ambas deixam transparecer que não estão agindo dessa forma espontaneamente, ou por prazer. Absolutamente. Fica claro, para qualquer um que as observe, que elas estão capitulando à culpa que sentem quando imaginam que essas atitudes das crianças são geradas por sua ausência prolongada. Por que não acontece o mesmo com os pais?

É interessante que, em ambos os casos, os pais não eram favoráveis a que as mães cedessem às exigências das crianças e manifestaram isto a elas de forma clara e segura. Eles achavam que tal obrigação era totalmente descabida e desnecessária. Ainda assim, nos dois casos, tal apoio foi inútil. Elas não conseguiam livrar-se daquela obrigação a que voluntariamente se submetiam todo dia. Era como se estivessem "pagando por algum pecado".

Por outro lado, os pais, como não se culpavam de nada, nem pensavam em substituir as esposas ou dividir com elas essa tarefa que consideravam desnecessária e até errada. Desta forma, elas passaram anos de suas vidas repetindo o mesmo ritual noturno, cansativo, desgastante e, portanto, sem qualquer validade real para os filhos. Não era uma atitude autêntica, não havia prazer no ato, só culpa.

Outro caso muito interessante que atesta até que ponto a sociedade pune e pressiona aqueles que ousam fugir aos padrões estabelecidos é o de uma família em que a mãe, por várias razões, assumiu um papel que, tradicionalmente, é reservado aos homens, como cabeça do casal do ponto de vista profissional. Ela trabalhava o dia todo (e algumas noites) e ele, embora trabalhasse também, tinha uma renda menor que a dela. Em contrapartida, em casa, ele assumia muitas das tarefas tradicionalmente executadas pelas mulheres — cuidar dos filhos, fazer compras, arrumar, ver os deveres de casa, fazer comida, levantar à noite, levar ao cinema, à praia etc. Nada mais correto e democrático. Há uma divisão de tarefas e atribuições em que homem e mulher têm os mesmos direitos e deveres. Mas como os amigos e parentes vêem essa mãe? E esse pai? É praticamente unânime a condenação da mãe, vista como alguém que não cumpre suas "obrigações", muito embora ela exerça outras funções — e bem — que o marido, no caso, não fazia. Por outro lado, o pai é encarado por todos como um homem maravilhoso, ideal, dedicado, a verdadeira "mãe", um "coitado" nas mãos de uma pessoa desalmada (a esposa).

Um outro caso interessante (e também bastante comum) é o de uma mãe que, sistematicamente, culpava a creche por tudo que acontecia ao seu bebê. Ela também trabalhava em horário integral e, premida pelas circunstâncias, teve que voltar para o trabalho quando o neném tinha quatro meses; ele então ficava o dia todo numa creche, escolhida a dedo e recomendada por outras mães que já tinham tido filhos lá.

O neném vivia gripado (coisa comum hoje nas grandes cidades), e ela sempre se culpava, inconsciente e indiretamente, achando que ele contraía o vírus através do contato "com as outras crianças da creche". Pode ser que sim. Mas ela jamais pensou que, caso não trabalhasse fora, provavelmente iria todo dia a parquinhos ou *playgrounds* onde ela teria contato com outros bebês, que também poderiam lhe transmitir gripes ou outras doenças infantis.

Uma amiga me contou que só sai de casa depois de os filhos dormirem... e escondida. Porque, segundo ela, assim eles não vão ficar sabendo que ela saiu "de novo". Esse "de novo" refere-se à primeira saída do dia, a ida para o trabalho.

Quando as crianças percebem esse sentimento dominando os pais (e elas percebem fácil), prontamente se colocam a postos, para "aproveitar a situação". Sim, porque uma criança supera longe o adulto em termos de esperteza e percepção.

E, aí, juntando tudo, a confusão está formada: insegurança, culpa, falta de definição clara de objetivos educacionais, medo de "castrar" etc., somados a duas ou três criancinhas que, mais ou menos conscientemente, percebem a situação toda e pronto! Não precisamos de mais nada para que a relação pais-filhos fique bastante tumultuada e prejudicada no que ela tem de melhor.

O grande problema é a conseqüência que este quadro traz para a vida diária dessas famílias. Não só os pais se sentem inseguros, mas também os filhos, que, sem limites ou equilíbrio, ficam sem parâmetros para sua vida presente e futura.

A Pedagogia Liberal, divulgada para os pais através dos meios de comunicação de massa, os conduz a relações de maior liberdade com os filhos, incentiva o diálogo, critica severamente o castigo, corporal ou não. Aos pais, parece não restar outra possibilidade a não ser seguir essa trilha, aconselhada largamente nos livros, jornais e artigos de revistas. Acontece que o exercício deste tipo de relação, digamos "liberal", não é, como pode parecer na literatura, uma coisa fácil de ser executada. Porque ela não acontece exatamente como "rezam as cartilhas". Quando deixamos uma criança expressar o que ela quer, podem ocorrer as coisas mais diversas. Pode acontecer de ela desejar algo plenamente possível de ser atendido, como pode também expressar vontades com as quais não podemos nem devemos concordar. Coisas que vão contra a moral, que estão financeiramente fora de nosso alcance, que podem colocar em risco a segurança da criança ou dos demais, ou até mesmo, simplesmente, coisas que não estamos com vontade de fazer. Quando a criança é condicionada desde pequena apenas a obedecer, como o era na geração dos nossos pais, um simples "não" resolvia a questão. Hoje, como cada vez mais as crianças estão sendo acostumadas a participar das decisões sobre a sua vida pessoal e mesmo sobre coisas simples do dia-a-dia, sua capacidade de resistência a um "não" cresceu muito. Por outro lado, diminuiu em muito a capacidade dos pais de se contrapor, devido a tudo que analisamos. Desta forma, ao contrário do que se pretendia, ficou muito mais complicada a concretização do diálogo.

Sem dúvida, devemos deixar e estimular a que nossos filhos expressem seus desejos, dúvidas, pensamentos, temores etc. Este é o ponto fundamental para que exista e se instale um diálogo verdadeiro e rico entre pais e filhos.

O que deve ficar claro é que o fato de a criança expressar todos os seus sentimentos e desejos não implica, necessariamente, a concordância, nem a "obediência" por parte dos pais. Deve-se, sim, conversar sobre o assunto, com todo o respeito pelo que a criança está sentindo, mas também com todo o respeito pelo que nós, pais, sentimos e pensamos. Esta troca de idéias é altamente produtiva e, na maior parte dos casos, desde que já exista realmente um clima de interação, leva à solução de impasses. Entretanto, é muito importante saber que nem sempre a coisa funciona de forma tão linear, tão perfeita. Muitas vezes, todas as tentativas de diálogo fracassam, porque nem sempre a criança se mostra tão cordata, ou disposta a abrir mão do que deseja. Nesses casos, somente o bom senso dos pais pode indicar a melhor solução. Em geral, coisas sem maiores conseqüências ou que não impliquem riscos, nem violem a ética, a moral em que acreditamos, podem e devem ser permitidas e até incentivadas. No entanto, aquilo que achamos ou sentimos como uma violação do que desejamos para a educação dos nossos filhos, para os padrões de comportamento que desejamos transmitir e nos quais verdadeiramente acreditamos, deve ser negado com firmeza e determinação. O que não significa violência ou brutalidade, física ou moral. A nossa segurança ao negar alguma coisa funcionará mais eficazmente do que qualquer grito ou punição. Em geral, a criança percebe com enorme facilidade quando "perdeu" uma questão. Agora, caso isso não ocorra, cabe ao adulto, mais maduro e experiente, tomar as rédeas da situação, agindo de forma a esclarecer, informar, explicar e, finalmente, encerrar a questão no momento adequado.

Vencer a culpa e a insegurança que nos atormentam não é tarefa fácil, nem que se vence de um dia para outro. Até porque elas existem devido a uma série de variáveis que agem sobre os pais sem que, muitas vezes, eles percebam sua influência. De modo que o primeiro passo para vencer esse grave complicador da relação pais-filhos é refletir e procurar esclarecer para si próprio quais os momentos em que agimos sem diretrizes, sem objetivos, por uma obrigação ou uma razão qualquer que desconhecemos.

Determinados os momentos e os motivos, devemos tentar estabelecer quais os nossos objetivos educacionais, o que queremos fazer de importante na relação, a fim de termos elementos para julgar a importância de cada situação, ou seja, pelo que vale a pena lutar, em que batalhas devemos realmente fincar pé e em quais podemos aliviar os conflitos ou as situações de embate. Não gastar energias com coisas menores, reservando-as para aquelas que julgamos fundamentais. Sem esquecer, porém, que coisas pequenas do dia-a-dia não devem ser confundidas com "coisas sem importância". O respeito mútuo, a felicidade na convivência só são possíveis quando se começa a valorizar os pequenos gestos, as pequenas delicadezas mútuas, o interesse pelo bem-estar do outro desde cedo. Não podemos esperar que nossos filhos nos tratem bem se permitimos que eles destratem os mais velhos, os avós, os mais fracos etc. Se não lhes ensinamos o valor de ceder o lugar a uma pessoa de idade, se não lhes mostramos que também nós ficamos cansados e temos os nossos direitos; se não acreditamos, nós próprios, nos nossos direitos, nem preservamos nosso espaço na relação, como poderemos querer que eles façam algo diferente disso? Os nossos filhos espelham as nossas vidas. Portanto, atenção! Não ajamos de forma a lhes ensinar exatamente o oposto do que desejamos que eles sejam... Sejamos justos, se desejamos que eles o sejam; honestos e trabalhadores, se os queremos ver assim; e, por que não, pessoas com seus direitos e espaço próprios se queremos realmente que, também eles, tenham direitos e espaço próprios.

VII

Como se sentem os pais — depoimentos

Depois de tudo que discutimos no capítulo anterior, sobre culpa, insegurança, vontade de acertar/medo de errar, nada melhor que o depoimento dos próprios pais para avaliar como eles realmente se sentem.

Por isso, entrevistei pais, utilizando o método de "história ou relato de vida", que visa, no dizer de Rosana Glat (1989):

> "encontrar nas diversas biografias individuais as constantes sociologicamente produzidas que definem um grupo determinado... O objetivo desse tipo de estudo é justamente apreender e compreender a vida conforme ela é relatada e interpretada pelo próprio ator. Portanto, consiste na história de uma vida ou acontecimento tal qual a pessoa ou pessoas que as vivenciaram (ou estão presentemente vivenciando) narram ao entrevistador. Uma narrativa tem, além de sua função descritiva, uma função avaliadora (Kohli, 1981), mesmo que o sujeito não tenha consciência disso...

> É, antes de mais nada, uma oportunidade para a reflexão... O ponto fundamental aqui, que diferencia o método de história de vida de outras abordagens clássicas, é o respeito que o pesquisador tem pela opinião do sujeito. O pesquisador acredita no sujeito. Quem faz a avaliação não é o pesquisador, e sim o sujeito. E este último não é visto como objeto passivo de estudo. Ao contrário, o pesquisador e o sujeito se completam e modificam mutuamente em uma relação dinâmica e dialética."*

Dentro das premissas do método, os entrevistados foram conduzidos, de forma muito suave e com um mínimo de interrupções e perguntas, a relatarem sua vida com os filhos, em termos de como "sentiam" essa convivência, bem como as alegrias, dificuldades, modificações trazidas no seu dia-a-dia etc. O objetivo, como explicitado anteriormente, foi, ao mesmo tempo, produzir uma catarse e uma avaliação de um aspecto da vida dos entrevistados, aqui a relação pai-filho.

Procurei transcrever os depoimentos da forma mais fiel possível, para que os sentimentos que perpassaram o relato-reflexão pudessem, com mais facilidade, ser apreendidos pelo leitor. Daí as reticências (que podem significar interrupções para pensar ou emoção impedindo a fala), as repetições etc. nos textos reproduzidos. Em alguns trechos, preferi conservar até mesmo certas imprecisões de linguagem, porque o depoimento, muito coloquial, perderia bastante se eu me preocupasse em corrigir a forma. Nestes casos, as expressões foram transcritas usando aspas.

---

*Rosana Glat, *Somos todos iguais a vocês.*

Primeiramente, transcrevo o relato de uma mãe. Engenheira, casada, 35 anos, com dois filhos de cinco e dois anos. É o seu primeiro casamento, bem como do marido. Trabalha fora, em regime de horário integral. As crianças ficam o dia todo, de segunda a sexta-feira, em uma creche:

— *Durante muito tempo pensei em não ter filhos. Foi uma coisa que descobri em mim, um lado mãe, assim tão intenso que eu mesma não... que me surpreendeu. Eu curti a gravidez intensamente, curti dar de mamar, curti... Uma coisa assim, desse lado emocional, muito gratificante. Mas tem os outros lados, complicados, de ser mãe.*

A coisa básica que mudou pra mim foi a liberdade. É uma coisa assim... que me incomoda... Eu sou uma pessoa que precisa ter os seus momentos, sozinha. Ficar em silêncio, às vezes, pensando, comigo mesma (suspiro). *E, nesse ponto, eu acho que complica um pouco. As crianças, elas "te" absorvem muito... Ocupam quase que todo o espaço — da casa, da... sobem em cima de você... É assim: apesar de adorar, fisicamente é uma coisa que me dá "nervoso". Eu não gosto de ter o tempo inteiro alguém em cima de mim, me pegando. Gosto em alguns momentos, mas tem horas que me incomoda. Então não é o tempo inteiro, por exemplo, eu estou vendo televisão, eles estão ali, eu vou tomar banho, eles querem vir... eu quero ficar sozinha, pensando na minha vida... então tem esse lado, assim, que me incomoda um pouco. E também o lance do compromisso, né? Pelo tipo de vida que eu tenho, aquele lance de trabalhar o dia inteiro, as crianças ficam na creche, então tem aquele horário cronometrado, que me incomoda. Sair do trabalho SEMPRE com hora marcada, ter que pegar criança e ir pra casa, então... porque uma coisa que eu gostava muito, sair sem saber pra onde ia, tomar um chope com os amigos, isso tudo tem que ser programado, e representa assim toda uma combinação, depende do pai pegar os filhos, então isso é uma coisa que prende muito, né?* (suspiro)

Engraçado, uma coisa que nem me incomodou muito foi o lance de não poder mais sair fim de semana. Acho que talvez pelo fato de que a gente demorou um pouco a ter filho, a gente saiu e passeou bastante antes, eu não me ressinto de não sair mais no fim de semana pra ir ao cinema, teatro etc. Isso não me incomoda tanto quanto a falta do meu momento sozinha. Quer dizer, é a hora em que eu saía, com os meus amigos, depois do trabalho, pra tomar um chope, ou ir a um shopping, *qualquer coisa... sem ter que me preocupar. E depois, eu às vezes até faço isso, mas aí eu já entrei em casa, as crianças já choram quando vêem que vou sair, então até que eu consigo... já não é a mesma coisa. Tem esse lado, né?*

Tem também aquela preocupação constante de se a gente tá acertando, é um negócio difícil, é uma... (suspiro), *dá medo, né?* (choro). *Dá medo...* (chorando).

Estou com medo agora, porque talvez eu perca meu emprego. As coisas estão difíceis lá no meu trabalho, muita gente já foi mandada embora. Aí eu fico com medo de não poder dar mais a eles escola boa, bons médicos, dá uma certa insegurança, pensar em ter que tirar da escola, que eu adoro, é... que hoje a gente pode dar uma natação, um balé, que eu acho superlegal, tenho medo de não poder dar mais isso a eles, ter que tirar e botar numa escola pública, não poder manter um médico bom, particular, porque meu marido, por exemplo... é uma coisa complicada. Ele vê que a escola é boa, mas sempre reclama que está cara, então é uma coisa que, enquanto eu estou trabalhando, dá pra contornar, às vezes eu pago, às ve-

zes ele paga, ou eu abro mão de outras coisas e tal, e eu tenho um certo medo disso, de ter que cortar essas despesas se eu perder meu emprego.

Uma das coisas que me dá mais medo hoje, em que eu sinto que posso ficar, pela primeira vez, sem ter meu próprio dinheiro, é perder o controle sobre essas coisas, porque eu acho que a responsabilidade é minha, né? Me sinto super-responsável por isso... pela educação, quer dizer, ele (o marido) concorda, mas eu sou sempre o agente, que decide as coisas, que escolhe o médico, que faz. Quer dizer, no final, eu tenho esse poder de convencer porque hoje eu estou contribuindo efetivamente na renda familiar. E talvez seja uma das coisas que mais me preocupa...

E essa responsabilidade muito grande de "criar os filhos", às vezes, eu acho um pouco cansativa, é uma posição chata, porque você tem que estar ensinando o dia todo, é um troço sacal, você se torna uma pessoa CHA-TA. *"Escova os dentes", e a minha filha, por exemplo — tinha que ser —, tem problema de peso. Então hoje eu vivo uma situação dupla porque passei a vida inteira controlando o* MEU PESO. *E agora eu tenho uma filha gordinha, que adora comer e que, em suma, é exatamente como eu era. E aí, eu fico em dúvida entre agir como a minha mãe agiu, controlando a minha alimentação para eu não ficar tão gorda, e eu me lembro que morria de tristeza de não poder comer, né? Então eu me pego fazendo exatamente isso, e não sei se é a melhor forma, ou se deixo ela comer quanto ela quiser, e, de repente, quando ela crescer ela emagrece, deixo ela livre pra fazer o que ela quiser... é uma coisa que eu não consigo, porque é uma coisa que eu vivo controlando em mim, então eu passo pra ela, fico controlando, mas fico em dúvida, não sei se isso é bom ou se não é... se vai gerar é... eu sei que não é bom realmente, ficar muito gorda é ruim, na escola, as crianças encarnam à beça. Até já brincam com ela, já chamam de "gordinha", e ela reclama um pouco disso. Mas adora comer, né? E a casa incentiva muito, também. O pai adora...*

Eu li alguns livros de Psicologia, alguns anos atrás, também fiz um pouco de análise, então algumas coisas, algumas preocupações eu tinha, mas eu não tenho uma linha definida de educação, com a qual eu fique preocupada, se estou ou não seguindo. Procuro agir mais ou menos conforme eu vou sentindo. Lógico, eu fico preocupada, se tal atitude possa ou não gerar um trauma, mas não tenho uma regra básica de ação. Às vezes, eu entro em conflito com o pai deles, porque ele não tem a menor preocupação com nada que se refira à psicologia, ele acha que tem que ser natural, falar o que tem vontade, que a criança pode administrar isso, tem que se relacionar, ele vai falando o que sente, não se reprime. Ele fala o que acha que tem que falar, mesmo que eu, às vezes, interfira na hora, na frente das crianças, se eu achar que o que ele está fazendo vai fazer mais mal do que a minha interferência, por criar dualidade. Em geral, eu tento conversar depois, mostrar que não é bom dizer isso ou aquilo etc. Às vezes funciona, outras não. Ele continua agindo do jeito dele. Mas até que eu consigo "transar" isso, porque penso que eles têm que se relacionar com o pai do jeito que ele for, e que vai ser aquilo. Pode ser até que a forma dele seja melhor pra eles, não sei.

Uma coisa que eu acho que "transei" com a maior tranqüilidade foi a coisa da creche. Porque, em primeiro lugar, eu não consigo pensar a minha vida sem ter uma atividade minha. Faço questão de ter o meu trabalho. Eu acho que se ficasse o dia todo com eles não seria uma mãe legal. Eu adoro eles, mas eu não tenho saco de ficar brincando o tempo todo; aliás é até uma coisa de que eu me culpo um pouco, não tenho saco de sentar para brincar com eles, eu faço, mas não é sempre — jogar joguinhos, brincar de boneca, nem sempre estou a fim disso, né? Então eu acho que se ficasse o dia todo em casa não ia ser legal, porque eu não ia curtir e eu tenho a maior confiança na creche, procurei escolher, assim... tenho a maior tranqüilidade. Deixo lá de manhã, volto de tarde, não telefono, tudo bem, quando tem algum problema é avisado, acho que é saudável. A minha filha mais velha, quando não está na creche, fica o dia todo com a empregada, porque no meu prédio não tem outras crianças, e na escola ela tem uma série de atividades. Faz natação, balé, então, com relação a isso é uma coisa completamente resolvida. Tanto que nenhum dos dois teve problema de adaptação, porque eu acho que tinha tanta certeza que eles foram "numa boa". Bem, teve vezes que chorei, mas no momento em que eles, depois que entram na escola, ficam bem, eu consigo sair de lá, e entro no ônibus, no trabalho, nem lembro que sou mãe. Só ligo o circuito de novo de noite. A não ser que tenha alguma coisa, alguma doença...

Nos fins de semana é mais complicado, porque aí tem um lado que... Normalmente, a gente fica muito em casa. E eu acho que não deveríamos, na minha concepção o ideal para as crianças é que a gente saísse todo fim de semana, fosse ao parque, à praia, respirar ar puro. Eu acho que a gente deveria fazer sempre estes tipos de passeio e a gente não faz, quer dizer, faz, mas com muito menos freqüência do que eu gostaria. Aí eu me culpo, porque a bicicleta está lá parada, porque a gente quase não leva ela pra andar, tem os patins, que quase também não anda, porque a gente quase nunca vai, e... o pai acha isso tudo natural, porque ele está cansado no domingo, detesta o que ele chama "meus programas ecológicos", vai de vez em quando, mas não é o que ele curte mais, e ele acha perfeitamente natural, já que durante a semana eles têm uma série de atividades, ele acha que não é nada demais que eles fiquem no fim de semana em casa. Mas é uma coisa que nem sempre eu consigo resolver na minha cabeça. Por um lado eu acho que deveríamos sair, o que não significa que eu QUEIRA *sair todas as vezes que acho que devo, porque existe um lado meu também que às vezes acha melhor mesmo ficar em casa direto, sem muito horário, mas eu acho que estou privando as crianças do ar puro, do verde, então é uma coisa que me culpa um pouco, acho que... deveria fazer com mais freqüência. Por outro lado, eu acho também que aos sábados, em que meu marido trabalha, eu poderia, por exemplo, aprender a dirigir e levá-los para sair, resolveria o problema e eu faria isso, que eu cobro dele. Mas até hoje eu não consegui resolver...* (risos).

Às vezes, eu sinto culpa em relação aos meus filhos, não é assim, uma culpa geral, mas às vezes, por eu ter sido impaciente, porque às vezes eu brigo com eles e eu sei que eles não fizeram nada, simplesmente eles "foram crianças", fazem "zona", gritam e muitas vezes que eu brigo é porque estou cansada, porque estou nervosa ou irritada e não estou a fim de ouvir barulho nenhum. Então, eles estão todos felizes, pulando em cima da minha cama, por exemplo, e tem horas que aquilo parece que vai me enlouquecer. Na verdade, eu não quero. Eu queria mesmo é que cada um estivesse no seu quarto. Aí eu dou a "maior bronca" e depois me sinto culpada, porque acho que fui exagerada, porque, na verdade, eles não fizeram nada, simplesmente ocuparam, talvez demais, um espaço que eu não queria que eles ocupassem. E aí fica uma certa dúvida, até onde, ou o quanto eu devo ser dura ou não. É uma coisa assim — será que eu deveria ser tão rígida? Quer dizer, se eu me considerasse mais importante, então os meus espaços deveriam ser respeitados, não interessa, azar, se eu quero ficar sozinha, cada um vai para seu quarto e o problema é deles. Mas aí eu acho que não é justo, porque tem um lado também, que ficam pouco comigo, então eu acho que eles têm necessidade de ficar mais horas comigo, querem mesmo a minha presença, são crianças, tão lá pulando, com aquela necessidade de agitar, que eu acho que também não é justo privá-los disso. Talvez até quando eu brigo de uma forma que eu acho inapropriada, porque acho que às vezes eu chego no meu limite, do que EU REALMENTE QUERO *e do que eu acho que* DEVO. *Então sempre fico nesse limiar. Sei que devo deixar, porque eles precisam, mas depois chega o meu limite e eu "estouro" e aí pronto... dou um berro meio desproporcional, e aí eu às vezes percebo. Quando reconheço, admito isso perante eles, quando acho que errei mesmo, que briguei sem eles merecerem.*

Acho que a questão básica é essa mesma — até onde vai o meu direito, o meu limite, e até onde vai o deles? Isso é que eu acho muito difícil...

Quando eles insistem muito em coisas que eu não quero que eles façam, eu costumo botar de castigo. Com a mais velha, primeiro ameaço, às vezes mando ficar no quarto dela, por um tempo, o que pra ela é uma coisa assim intolerável, porque ela quase não brinca sozinha, passa o tempo inteiro literalmente "grudada" na gente, quase não fica só. Então o maior castigo do mundo pra ela é botar no quarto brincando. Bom, em geral, ela fica chorando na porta do quarto, sentada, chorando bem alto, cada vez mais alto, até chegar no meu limite. Normalmente, eu mantenho o castigo um tempo, depois, numa certa hora, eu vou lá, deixo ela sair, mas faço ver o que ela fez de errado, pra ver se ela não volta a repetir.

Uma outra forma é ameaçando tirar alguma coisa de que ela goste. Cada vez que ela resiste em fazer alguma coisa, eu acabo dizendo: então, se você não fizer isso, você não vai à colônia de férias, não vai fazer tal programa, não vai ganhar bombom, alguma coisa assim. E... com o pequeno é batendo na mão mesmo, quando ele mexe nas coisas, às vezes boto de castigo, isso poucas vezes, porque não acho legal, boto um pouco no berço, e digo: vai ficar um pouco no berço — ele fica também "enlouquecido"... Basicamente, é isso...

Quase sempre eu fico culpada depois, quer dizer, tem várias fases: quando a minha filha começa a gritar cada vez mais alto, que eu percebo que é só pra chamar minha atenção, no início dá uma certa raiva. Mas quando é um choro muito sentido, quando ela está realmente sentida, fazendo beicinho, me dá muita pena... mas eu procuro segurar e tento manter, né, a posição tomada anteriormente. Quer dizer, quando ela tá gritando, às vezes me irrita até mais, mas quando eu vejo ela muito triste, me dá pena e eu acabo tirando do castigo.

Às vezes eu tenho dúvida, eu me cobro: "Será que eu deveria ser mais tolerante?" "Será que eu sou impaciente demais?" "Será que eu devia ter 'mais saco'?" Então, nessa hora, quando eu estou na dúvida se eles ainda não passaram dos limites, mas eu é que estou "sem saco", aí tento segurar este lado meu. Então fico permitindo que eles vão ficando, um pouco mais do que eu gostaria, porque às vezes eu fico pensando que estou sendo muito rígida, muito impaciente, então eu tento suportar. Na verdade, quando digo que chegou no meu limite, até já passou um pouco, o ideal seria que eu conseguisse freá-los um pouco antes. Ou se conseguisse ter um pouco mais de paciência do que eu tenho. Sabe, essa imagem que a gente faz de participar mais, brincar mais com elas, eu procuro participar o má-

ximo possível. Por exemplo, eu chego do trabalho todo dia com um deles, que fui buscar na creche, às sete horas da noite. Trabalhei o dia todo, peguei condução, me aborreci, então ele está ávido por brincar, ela também. Ela está me esperando, porque a empregada é que pega na escola, às cinco horas. Então eu chego. E, DO JEITO QUE ESTOU VESTIDA, *sento com eles no chão e vou brincar. Faço isso porque acho que devo. Na verdade, eu quero, mas só uns cinco minutos e pronto! Depois eu gostaria de entrar no meu quarto, com a maior tranqüilidade, com calma, mas na verdade isso não ocorre. Teve uma fase em que eu fiz isso. Eu chegava em casa e dizia: "A mamãe vai tomar banho", e deixava eles com a empregada, fechava a porta do meu quarto, mas a gritaria era tão grande que não adiantava, porque eu não conseguia relaxar. Então hoje eu acho que é melhor eu brincar um pouco e adio um pouco esse meu momento.* O PROBLEMA É QUE ESTE MOMENTO ESTÁ CADA VEZ MAIS DISTANTE, PORQUE AGORA EU JÁ FICO QUASE UMA HORA COM ELES. *Quer dizer, oito horas da noite eu ainda estou com a mesma roupa com que cheguei do trabalho, às vezes nem ao banheiro eu fui ainda. Então, aí é que enlouqueço... boto o menor pra dormir, porque estou no meu limite, só que às vezes ele não está com sono ainda, mas eu acho que ele* TEM QUE DORMIR, PORQUE EU QUERO QUE ELE DURMA. *E aí boto na cama, e ele grita desesperadamente, eu me sinto horrorosa, mas mesmo assim deixo gritar, porque ele grita cinco minutos e vai dormir. Não me sinto legal com isso, mas aí chegou naquele limite, acima do qual eu não tenho mais capacidade de suportar, e ele vai gritar, mas vai dormir e acabou!... Com a mais velha já é mais fácil, já dá pra transar, eu saio, ligo a televisão, me tranco no banheiro,* EU PRECISO DAQUELE INSTANTE, *nem que seja meia hora de banho, aí eu já saio melhor... Sei lá; mas aquele momento eu preciso ter. Então, eu acho que é um pouco isso... Esse limite é que é complicado.*

Faltou dizer algo: é sobre o amor que as crianças sentem por nós. Eu acho que nunca senti na minha vida nada igual, é uma sensação que a gente tem do olhar, a forma como a criança nos olha, acho que não existe um sentimento mais puro do que aquele olhar, assim é um amor tão... nesta fase pelo menos, porque meus filhos são pequenos, ainda não sei depois, mas é um amor tão intenso, você sente assim, é... tão puro, uma coisa assim, eles te olham de uma maneira, você é tudo ali. Talvez daí é que venha tanta responsabilidade, tanta culpa, não sei, porque você representa pra eles tudo (chorando) *e aquela expectativa, olhando, aquele olhar tão profundo, tão preto, é uma coisa que eu nunca vou esquecer, o olhar deles na hora em que a gente tá dando de mamar, é um momento tão maravilhoso, olho no olho, aquela relação tão profunda... Até hoje, quando dou mamadeira, até é uma coisa que eu ainda nem tirei, porque adoro dar a mamadeira de noite pro menor, aquele olho preto, me olhando dentro dos meus olhos, é... vale qualquer coisa. Tem todos os outros lados difíceis, mas esse sentimento acho que é impagável, realmente só quem teve filho é que pode entender o que representa essa expressão de total confiança. Então eu não sei até quando, até que idade, mas essa sensação é maravilhosa!*

O pai cujo depoimento colhi é escritor, tem 46 anos e dois filhos. O mais velho, de dezessete anos, na verdade, é filho do primeiro casamento de sua esposa, que é professora, mas foi criado por ele desde os três anos de idade.

Ele foi casado uma primeira vez, mas não teve filhos. A caçula, uma menina de três anos, é, portanto, filha dos dois, em sua segunda união. Vejamos o que ele nos diz:

— Eu, na realidade, tenho dois filhos. No início, antes de a menina nascer — agora ela está com precisamente três anos —, e o menino está com dezessete, e eu o conheci quando ele tinha dois anos e meio para três, mas começou a conviver comigo quando tinha três anos (para você ver como eu sou detalhista com as datas), eu sempre entendi e nunca pude percebê-lo como não sendo filho inteiramente. Eu me lembro de uma advertência de Sto. Tomás de Aquino, dizendo que o homem é inefável, não é "quebrável", eu não conseguia entender que uma pessoa, convivendo comigo, se beneficiando das condições de que um filho normalmente se beneficia e sendo penalizado pelas mesmas razões não pudesse ser visto inteiramente como filho. Muitas pessoas me diziam isso: "Quando você tiver realmente um filho, que tiver nascido de você, vai ser diferente, é um amor mais denso, mas demorado, a gente reflete mais antes de dizer não ou sim", eu estou lembrando agora de Guimarães Rosa quando diz: "existe um não e um sim, e as pessoas são muito variadas". Cada pessoa diz o seu não e o seu sim de forma diferente, às vezes você pode num sim estar dizendo um não extravagante, denso, explícito. Então a convivência com o meu filho já ao longo de quatorze anos, eu me debruçava o mais inteiramente possível, com todos os instrumentos que eu tinha de percepção, para avaliar e para amá-lo com a potencialidade que eu podia, e... acho que fiz isso... Mas foi um tempo muito difícil, os primeiros anos. Ele urinou na cama até os quatorze anos, foram onze anos, demorou... e nesse momento eu me sentia muito... não é debilitado na ação da paternidade não, porque eu tinha o apoio inteiro da mãe dele para chamar atenção, para zangar ou para corrigir. O pai dele, que não era uma pessoa muito impressiva, muito presente, também não era uma pessoa ruim ou desviada, ou que

não aparecesse. Aparecia a cada mês para pagar a pensão que era devida, e eu tenho certeza que, se eu tivesse tido alguma atitude com o menino para penalizá-lo, teria tido o apoio de ambos. Mas isso foi o momento mais constrangedor, eu não sabia como fazer, era uma coisa que me tolhia e a ele, sobretudo, porque a vida social dele foi ficando cada vez mais apertada. Se há uma coisa na minha vida que foi vivida a cada instante foi isso, porque começava com... o momento em que ele dormia e... "acabava" no momento em que ele acordava, com a revelação horrível de que tal fato acontecera, cada vez um fracasso. E... o pediatra dele, que era uma pessoa muito reconhecida na sua área e era muito amável, conversava muito, não nos deixava sem respostas e nos dizia: "você já viu algum adulto fazer pipi na cama?", eu respondia: "doutor, eu nunca vi, mas pode ser que exista — na Dinamarca, por exemplo, mas eu acho que isto não me atenua". Então, com relação a este filho, ficou sempre o problema de que ele era uma pessoa que desde sempre, ou desde o início, estabelecia este ponto de privação, né? Ele tinha uma ação involuntária, inconsciente, que não me agradava. Minha mulher era muito mais controlada, mais objetiva, mais finalista e fatalista do que eu e achava que isso ia terminar. O pai e o irmão dela também fizeram xixi na cama até tarde, então ficava tudo num concerto familiar de que isso um dia acabaria. E, um dia, acabou... Mas me penalizou muito, porque eu sou uma pessoa hipersensível... O Dr. Mauro me dizia: "olha, o que você pode fazer é, no meio da noite, acordar e levá-lo para urinar, às duas horas da manhã, porque aí você estaria impedindo uns setenta por cento de chances de isso acontecer". Eu fiz isso... durante quase dez anos eu fiz isso. Eu acordava, botava o despertador, ia até a cama dele, acordá-lo, levá-lo até o banheiro, e... mas muitas vezes, quando eu chegava lá, ele já tinha urinado. E aí era terrível, porque eu tinha dificuldade de dormir, e já dormia mais irritado, porque não tinha conseguido evitar, e muitas vezes ele não tinha urinado e eu levava, e mesmo assim no dia seguinte ele amanhecia urinado. Então, isso foi um transtorno que interferiu nas nossas vidas fundamentalmente. Tive várias brigas com minha mulher por causa disso, ela é uma pessoa mais... lenta para tomar decisões, e eu me lembro que tentei vários psicólogos, e alguns nos liberaram desde o início, dizendo "isso não é nada", pensei em alguma coisa orgânica, mas também foi afastada a hipótese, enfim era mesmo um problema psicológico dele não resolvido... (suspiro)

Mas eu também tive uma paternidade complicada, complicada por ser muito... clara, muito evidente. Acho que Paul Valéry diz que "as facilidades é que me atrapalham". Eu tinha um pai que era cinqüenta anos mais velho que eu e uma mãe quarenta e cinco anos mais velha que eu. Era um homem supereducado, superfino, um grand seigneur, *incapaz de uma indelicadeza, de chamar a atenção de uma outra pessoa, era muito delicado, muito... eu não quero dizer, mas era um aristocrata. Quando fui conhecer realmente meu pai, ele tinha setenta e cinco anos. Nunca o vi de bermuda, ou tomando uma cerveja, nunca vi meu pai de mangas de camisa ou jogando futebol... A relação dele comigo foi sempre superdelicada, mas também havia a dificuldade de chamar a atenção. Eu, muito novo, tive que tomar conta de pessoas muito velhas e, na medida em que fui crescendo, elas foram ficando mais velhas ainda, e, portanto, minha atenção para com elas foi duplicada.*

O meu primeiro casamento durou muito pouco, não tivemos filhos. Na época eu não me lembro se queríamos filhos. Com o segundo casamento, que foi um reencontro, porque já tínhamos namorado antes, quando a gente se encontrou novamente ela também já tinha terminado um casamento e tinha um filho, com cerca de três anos na época.

O *problema de acordar à noite não me incomodava, essas reclamações triviais de acordar à noite, devido a um resfriado, não poder sair porque naquela época a gente não tinha babá — nada disso me incomodava, então eu não senti nenhuma restrição maior, nenhuma vontade de não ter, nunca repudiei. Fui muito acusado pela minha mulher de ter desde o início recusado o menino deliberadamente. Depois, ela declarou ter sido ela a maior recusadora, porque — e ela diz isso hoje com todas as letras — tinha um amor por mim muito grande e o menino interferia naquele amor. E, depois, o temperamento dela e do filho não se casavam, não se juntavam... Então, a coisa passou a ser vista assim, binariamente, eu como aquele que fazia todas as coisas e não sabia zangar — isso era claríssimo — ela sempre me pediu para ser uma pessoa mais intempestiva, mais grosseira até, que zangasse, que batesse, que botasse de castigo, que dissesse "não", que na hora de acordar, se ele não quisesse acordar, eu arrancasse o lençol, que na hora de ver televisão, se não estivesse mais na hora, desligasse a televisão, proibisse de sair quando fosse o caso, não comprasse sorvete... e eu não sabia fazer isso. Acho que não sabia e não queria... Eu tive, no final do ano retrasado, um atendimento com um psicólogo em que esse assunto aflorou logo, a minha incapacidade de dizer não ou de perseguir esse "não". Isso aí é uma "coisa de matar"...*

Então, ao longo do tempo, na medida em que fui progredindo materialmente, fui dando ao meu filho uma série de vantagens que, às vezes, eram um pouco em desacordo com a idade dele, ou com relação ao grupo com que ele vivia. Já fez, por exemplo, três viagens internacionais, uma recentemente, quando ficou três meses nos Estados Unidos, Inglaterra, Suíça, uma viagem longa, e sempre teve em casa muita coisa, muita televisão, quando ninguém tinha vídeo ele já tinha, eu fui concedendo essas coisas. Sempre fui muito desligado das coisas materiais, muito. Desde que eu tivesse o mínimo conforto, aquilo me bastava, eu queria ter conforto — claro —, ar-condicionado, telefone, um carro razoável, mas, por mim, se fosse um Volks, estava bom, eu tomo muito conta das minhas coisas, sou cuidadoso, mas quando meu filho foi crescendo ele foi começando a colocar na cabeça da gente uma porção de coisas: "Vocês precisam ter telefone com tecla, três telefones, você não pode ter Fiat, tem que ter Monza, mas não pode ser Monza 88, tem que ser 90, não pode ser SE, tem que ser Classic, *tem que ter chofer", e eu fui atendendo essas coisas, pela minha dificuldade de dizer não e talvez porque eu também gostava um pouco disso...*

Antes do meu filho viajar, uns quinze dias antes, tivemos uma briga — tivemos algumas brigas ao longo desses anos, umas três ou quatro brigas maiores em que fui obrigado a bater nele, porque eu estava, por exemplo, lendo ou estudando, e ele vinha e apagava a luz, e aquilo me irritava. Ele era ranheta, implicante, desatencioso. Eu dizia: "filho, não faça isso, o telefone vai cair", e ele colocava o telefone bem na quina da estante, aí "praaá..." — quebrava o aparelho e ficava por isso mesmo, e eu era a pessoa que tinha que ficar ligando para virem consertar... A minha mulher sempre achava que, nesses momentos, eu deveria agir com mais autoridade do que agia, mas aí entrava o meu problema de sempre, de negar coisas. Hoje, para despedir o motorista eu quase chorei...

Aí, em março de 88, a minha filha nasceu. Foi um ano muito difícil, porque meu pai morreu, com noventa e três anos de idade, depois de uma longa doença. Eu tinha estado separado da minha mulher por um mês e meio... a gente só se via ocasionalmente, quando ela engravidou. Em agosto desse mesmo ano, morre um grande amigo meu, e em setembro morre a minha tia, que foi a minha preceptora, a minha primeira professora e a pessoa que me ensinou a gostar dos livros, não só da leitura, mas de gostar dos livros. Eu sempre fui cercado por pessoas que "me alisaram". Então, quando veio a minha filha, eu fiquei, no início... não "avaliando" bem o que era. Um negócio assim... Eu, uma pessoa superemotiva, quando o médico veio me dizer "nasceu", no hospital, e eu fui até o berçário ver — o meu filho se abraçou comigo e se emocionou, mas eu não, eu me contive. Mas depois, depois... quando os dias, os meses foram se passando, foram nascendo um sentimento e um amor inigualáveis, um negócio assim de um debruçamento, de um envolvimento totais. Quando ela nasceu, com um mês de vida, eu fiz um poema para ela, a minha mulher perdeu o poema, ela é meio esquecida, descuidada com as coisas, eu dei para ela, ela perdeu. Quando ela foi batizada, eu fiz um segundo poema, e ela também perdeu. Então, o terceiro poema está guardado no meu diário... mas eu comecei a olhar para ela... e fui criando assim um sentimento que eu não sei classificar, acho que nenhum sentimento é classificável. Mas foi crescendo, crescendo... e agora, você me entrevista num momento muito oportuno, porque de uns meses para cá — a minha filha não é uma pessoa muito agarrada, sabe, não é superafetiva, melada. Com a minha mãe, por exemplo, ela nunca fez o que fez com você hoje — vir correndo e dar um beijo —, comigo fez umas poucas vezes — quando vai à casa da minha mãe, que ela já co-

nheceu com oitenta e nove anos (a gente vai lá uma vez por semana), o intercâmbio afetivo entre elas é super-ruim, a minha mãe quer falar com ela, ela não quer. Ela diz "não" e eu digo "vai com a vovó", ela diz "não vou, não gosto". Então isso me aborrece também, porque eu gostaria que ela fosse um pouco "mimada" pela neta, não é a única neta, mas é a "minha" única... Então, nesse momento, a minha mulher já está começando a me dizer de novo que eu estou repetindo o mesmo modelo. Eu fico solicitando os carinhos da minha filha, e ela "não dou", "não quero", então... a minha mulher me diz: "você não tem que pedir beijo, tem que beijar, apertar, agarrar, e nunca pedir". Às vezes eu tento, eu tento, mas ela grita: "não, não quero".

A minha mulher amamentou durante um ano. E, durante um ano, eu ia assistir, eu sentava do lado, ficava olhando, aquela coisa... Até hoje, eu curto demais. Aqui no prédio, tem umas quatro ou cinco menininhas do tamanho dela, e eu sou o único pai que desce para o playground, *que vai olhar, que vai brincar, que leva à piscina, mesmo que a babá vá, eu vou também. E ela sempre dizendo "não"... De uns meses para cá, ela diz não pra tudo que eu imagine. A única coisa que ela faz comigo agora é brincar de esconder, que ela chama "brincar de achar". Ela grita, fica alegre, eu me escondo, ela acha... Essa brincadeira leva uns quinze minutos, no máximo. Mas se eu tento entrar um pouco mais na intimidade dela, se eu tento entrar no quarto dela, na hora em que ela está brincando com a babá, que é ótima, ela me rejeita tranqüilamente. Então eu estou começando a sofrer com isso. Eu saio, obedeço. Eu não sei... Aí veio o livro do Bettelheim em oitenta e oito, que me conduziu muito, e você, naquele nosso primeiro encontro, no início de fevereiro, foi a única pessoa de fora que trazia um argumento técnico nesta solidão... Por que, com relação ao mais velho, por exemplo, ainda que minha mulher tivesse sido, e é efetivamente, uma pessoa muito companheira, muito afetiva, muito lúcida, muito lida nesta área de educação e psicologia, com uma noção e um equilíbrio muito fortes para determinar as coisas — com relação ao menino, por exemplo, ela diz que não teve, durante os primeiros anos de vida, um sentimento definido. O que tinha de mais definido era rejeição. Porque ele foi sempre um menino muito ranzinza, muito fechado nas coisa dele, muito egoísta. Por exemplo, agora, ele voltou dessa viagem de três meses ao exterior, comprou o que quis, roupas, aparelhos... pra mim trouxe um relógio, que é esse que estou usando, e um apontador de lápis, quer dizer, o apontador ele nem me trouxe, mas como tinha sumido com o meu, ele resolveu me dar. Ele trouxe de Nova York um monte daqueles "tubos" de batata frita. Eu adoro aquela batata frita... E eu me lembro, assim que ele chegou, trouxe um monte delas. Lembro que vinha de noite alguém aqui em casa. Aí eu disse: "Será que você me dava um tubo?" Não deu... Eu falei: "Mas será que você não pode me dar então umas vinte batatas fritas?" "Não, porque eu vou dar pra um amigo." Não deu pro amigo, as batatas continuaram lá, e eu não tive a batata frita. Então, ao longo desse tempo todo, eu às vezes peço as mínimas coisas. Essa briga que eu tive antes de ele viajar foi por causa de um depósito, porque eu não sei usar cartão eletrônico — sei guardar direitinho —, mas se eu chegar lá, passar no terminal umas três vezes e não funcionar, eu desisto. Como ele tem uma aptidão enorme para isso, eu pedi para ele fazer um depósito no caixa eletrônico com o chofer e ele foi. Depois de uns quinze, vinte minutos voltou dizendo que tinha uma fila muito grande e ele não estava a fim de ficar em fila pra mim, não. Aí eu me aborreci muito. Gritei, xinguei, "olha aqui, é um absurdo você tá embarcando pra essa viagem que quer tanto, o dinheiro é pra pagar coisas suas mesmo, você não tem tempo de ficar quinze minutos na fila?" ele ainda respondeu: "é isso mesmo" e tal... Aí, nesse dia, eu briguei muito com ele. Uma semana depois, fomos jantar juntos num restaurante elegantíssimo, que ele adora. Aliás, quando eu vou de tênis ele se aborrece, calça* jeans *ele não gosta. Mas então, houve sempre esse tipo de dificuldades, que só não progrediram porque sou uma pessoa muito controlada, muitas vezes vou até o quarto dele e chamo: "filho, vem jantar com a gente", ele diz: "não, tou vendo a novela", "vamos conversar sobre a viagem", "não, tenho que ver a novela", ou "vou falar no telefone". Aí eu digo, "pô, por causa da novela? Amanhã você vê, ou grava..." Às vezes, eu vou buscá-lo em algum lugar, de carro, e digo: "vamos parar por aqui pra comer um sanduíche?" "Não, não gosto de parar na rua pra comer sanduíche!" Então, sabe, eu não sei o que faço numa hora dessa. Se eu paro, de qualquer maneira, ou... geralmente eu não paro, e eu vou direto pra casa. A minha mulher, ela não pergunta e pára. Aí eles brigam. Já brigaram muitíssimo...*

Então, pra mim agora a minha filha foi uma agradável surpresa, porque geralmente ela diz não para as pessoas (aqui ele estava se referindo ao fato de que, durante o depoimento, a menina entrou correndo na biblioteca, onde estávamos, e, como eu gosto muito de crianças, comecei a falar com ela. Pedi-lhe um beijo, com o que ela imediatamente concordou, vindo ao meu colo e beijando-me alegremente).

A coisa mais deliciosa que me aconteceu na vida foi há uns três meses, quando tinha umas pessoas aqui em casa e ela me disse: "papai, você é escritor, hem?" Eu fiquei maravilhado, agora toda vez que ela quer me agradar ela vem com essa his-

tória de "você é escritor". Durante uns vinte dias ela me disse isso.

Depois da leitura do Bettelheim eu fiquei entendendo que você age até determinado momento, depois as pessoas seguem seu caminho próprio, quer dizer, pegam seu caminho particular e vão em frente, então se eles forem felizes assim, é assim que deve ser... Nunca fui impositivo, fui sempre uma pessoa que conjugou duas coisas — um lado intelectual e um esportivo — eu jogo com os meninos aqui do prédio, eles vêm me chamar como se eu tivesse quinze, dezesseis anos, a idade deles — e eu vou. Jogo futebol, faço natação com eles... e o meu filho nunca, não aparece nunca... Já com o meu filho eu só converso muito raramente, e geralmente assuntos financeiros, e ele tá sempre vendo quanto tá o dólar, quanto ele já juntou pra próxima viagem, é uma coisa assim muito específica. Ao mesmo tempo, com o meu mundo intelectual, ele também não tem nenhuma afinidade, com a literatura. E olha que ele é um menino de uma inteligência, de uma percepção e de uma maturidade... enormes... tanto que ele tem uma facilidade espantosa para administrar coisas — acho que rapidamente vai se encaminhar na vida num setor desses. Ele vai se definir rapidissimamente, tenho certeza disso. Às vezes eu fico olhando, como ele está independente, quando ele chegou da viagem, resolvendo tudo sozinho... Por outro lado, eu não sei o que ele fez em Roma ou na Suíça. Tenho informações gerais de que ele aproveitou muito, tem recebido telefonemas de amigos, de amigas. Quer dizer, o mundo sexual dele eu não sei como é. Já indaguei uma vez, mas não sei se ele já teve relacionamento com alguma mulher, acho que não. Às vezes, eu digo: "você tem um pai que pode ter a idade que você quiser, quer dizer, você pode conversar comigo de tudo que você quiser. Eu não vou nunca julgar, condenar, cotejar, se aquela ação é correta ou não. Eu sou incapaz de fazer isso. Eu posso é te dizer, vinte e nove anos mais velho que você, que se acontecer de novo não faça, ou faça. Eu converso com nossos vizinhos aqui que têm a sua idade, vêm pedir livros emprestados, vêm conversar comigo, agora com você que não quer conversar eu só posso dizer que estou à sua disposição sempre, é o máximo que eu posso fazer..."

Então o que eu vejo daqui pra frente é que o meu filho já está definido enquanto personalidade e o que eu procuro fazer, exaustivamente, penosamente, à força de muito trabalho, é procurar fazer com que eles tenham pontos de partida razoavelmente seguros pra vida, quer dizer, tenham alguma segurança financeira.

A menorzinha, eu ainda tenho vontade de me espraiar um pouco mais, de me expandir, de me debruçar um pouco mais sobre ela, ainda estou tentando descobrir qual é o caminho mais fácil de chegar até ela, acho que esse de brincar com ela, por exemplo. Agora ela está numa fase de brincar de gatinho, de andar engatinhando. Eu faço o máximo que posso, mas se eu andar muito tempo de gatinhas, com as costas tombadas, como tenho problema de coluna, não agüento ficar muito tempo, mas fico o máximo que posso. Falo com ela com o maior carinho possível, acho que mais não é possível, de maneira que estou começando a me ressentir das restrições que ela me faz.

Agora, eu me sinto hoje muito feliz com a família, isso é uma coisa que eu não posso deixar de dizer. Acho que fiz o que pude fazer com relação ao meu filho e me exauri mesmo, tentei enxergar o máximo possível, tentei ouvir o máximo possível, o processo dialógico é o melhor, esse de ver e ouvir, todas as vezes que ele quis me falar eu ouvi, mas foram muito poucas. Eu, por exemplo, sempre chamo para conversar aqui na sala, mas aí fatalmente começa alguma "cobrança", do tipo "ah, você só vem conversar coisas que te interessam", de modo que na maior parte das vezes essas tentativas acabam mal... Eu vou "me consultar financeiramente com ele", tentando uma troca, quer dizer, eu sou uma pessoa que gosta de consultar, não imponho nada, e... embora minha mulher não concorde, eu peço a opinião dele, tentando ser o mais aberto possível, porque não quero ter segredos com os meus filhos, mas geralmente essas conversas não acabam bem. Só terminam bem se ficarmos na "perfumaria", dentro do que ele gosta (aquele carro, aquele programa de televisão), mas se formos para os assuntos que me interessam, literatura, futebol, aí não dá certo. Eu não tenho audiência aqui em casa...

Mas acho, ao final de tudo, que minha possível família é esta e eu estou feliz com ela. Fiz por ela o que pude fazer. Com a menor, ainda tenho expectativas muito substantivas de poder ser o mais carinhoso possível.

Agora o retorno disso, eu não sei qual vai ser, mas também não me interessa...

Creio não ser necessário fazer muitos comentários, porque os depoimentos falam por si sós.

E são tão contundentes quanto vão diretamente aos pontos que ressaltei nos capítulos anteriores — a insegurança, a culpa, o medo de errar, de impor qualquer coisa, de se colocar, de frustrar — as dificuldades de uma geração de pais altamente conscientes de suas responsabilidades, mas ainda buscando encontrar um equilíbrio e um caminho que lhes dê a satisfação do dever cumprido de forma apropriada, mas que também lhes garanta seu espaço pessoal e o atendimento às suas necessidades próprias.

Tanto o depoimento do pai quanto o da mãe, embora bastante diferentes (o da mãe caracteriza-se pela luta por espaço, embora com muita culpa, enquanto o do pai tem como tônica o sentimento de rejeição dos filhos, a quem ele, por muito amar, nada nega), acabam se encontrando na sua essência: os pais querem muito acertar, dão muito amor, procuram respeitar e conhecer seus filhos, mas estão se esquecendo de que também eles têm seus direitos, e não devem — NEM PRECISAM — abrir mão deles.

VIII

O que pensam verdadeiramente os pais?

A pesquisa, cujos resultados comento a seguir, foi realizada em âmbito acadêmico (na Faculdade de Educação da Universidade Federal do Rio de Janeiro) e, portanto, contém muitos outros elementos de estudo, mais dados numéricos e estatísticos além dos aqui apresentados.

Achei muito interessante para os pais incluir uma parte deles neste capítulo, como uma contribuição às discussões deste livro. O estudo completo, entretanto, encontra-se à disposição daqueles que, porventura, desejem aprofundar, debater ou apresentar sugestões sobre o tema.

Meu objetivo era descobrir o que levava os pais a agirem de forma nitidamente contrária à sua vontade em tantas ocasiões. Por que seria tão difícil, para tantos, agir de forma coerente com aquilo que afirmavam teoricamente? Em muitas ocasiões, eles me diziam apreciar crianças bem-educadas, que respeitam os mais velhos, que cedem seu lugar aos idosos e às mulheres, que não respondem de forma agressiva aos avós etc. Entretanto, esses mesmos pais pareciam-me por vezes não perceber o quanto os seus próprios filhos estavam longe desse ideal.

Uma mãe, por exemplo, disse-me textualmente, ao chegar à piscina onde me encontrava: "Adivinha se minha filha ME DEIXOU trazer o meu livro? Claro que não, né?" Ela gostava de ler na piscina, mas nunca conseguia. Perguntei-lhe por quê, e ela respondeu: "Óbvio, ela quer que eu fique todo o tempo na água com ela." E como se vê, embora profundamente contrariada, ela OBEDECEU. Não estava feliz porque ia submeter-se totalmente aos desejos da menina — APENAS NÃO CONSEGUIA dividir com ela os direitos de cada um. Por outro lado, nem percebia o quanto era estranho uma filha "não deixar" (proibir) alguma coisa a uma mãe. Quando eu tentava de forma casual conversar a respeito, tanto ela quanto o pai me afirmavam que a menina tinha "personalidade muito forte". Esta era a forma que eles encontravam para ficar em paz consigo próprios diante da incapacidade que sentiam de impor limites à filha. Escudados nisso, assumiam o papel de vítimas da situação, e não causadores dela — assim sentiam-se menos mal consigo mesmos. Evidentemente, a menina vinha, dia a dia, assumindo posturas cada vez mais autoritárias na relação. Ela estava muito segura quanto ao espaço que ocupava. Os pais, por sua vez, preferiam crer na teoria da "personalidade forte" como algo imutável, para aplacar sua ansiedade e impotência. Presenciei muitas situações semelhantes a esta, apenas com algumas variações.

Na pesquisa a que me referi, procurei saber o que os pais pensavam sobre alguns assuntos ligados à educação de seus filhos. Antes de tudo, queria saber se eles tinham idéias formadas a respeito, isto é, se agiam deliberadamente em função de alguma coisa em que acreditavam ou se simplesmente atuavam ao sabor das suas emoções do momento, ou outro motivo qualquer.

No caso referido, eu gostaria de saber se a mãe não trouxera o livro porque considerava que realmente devia ficar o tempo todo na piscina à disposição da filha — e, neste caso, a teria atendido; se simplesmente não pensara a respeito ou, ainda, se acreditava que era uma exigência descabida, mas mesmo assim, por algum motivo, a cumpria. Nesta última hipótese eu queria descobrir o "porquê" dessa atitude.

Para investigar isso e uma série de outras questões, elaborei um questionário com 25 perguntas, divididas — sem que os entrevistados soubessem — em três grupos: um caracterizando uma tendência COMPORTAMENTALISTA, que estaria ligada a uma visão TRADICIONAL de educação, composto de dez itens; outro grupo, também com dez questões, caracterizando uma visão PSICODINÂMICA, dentro de uma linha mais MODERNA; as cinco restantes constituíram o terceiro grupo de perguntas e objetivaram verificar se os pais se sentiam CULPADOS e/ou INSEGUROS na relação com os filhos.

Foram entrevistados 211 pais, resultando em 160 questionários válidos para a nossa amostragem. Dois dos entrevistados foram eliminados porque não satisfaziam a todas as características sociométricas previamente determinadas e os demais 49 não devolveram o questionário respondido. Desta forma, 51 pais foram eliminados da amostragem, caracterizando uma mortalidade de 24,17%. O tipo de instrumento utilizado foi uma "escala de atitudes tipo Likert".

Os questionários foram distribuídos aleatoriamente em quatro regiões da cidade do Rio de Janeiro — zonas norte, sul, oeste e suburbana. Em cada uma dessas regiões, tivemos quarenta entrevistados:

QUADRO 1. Distribuição da Amostra por Zona Residencial

Zona	*N.º Pais*	*%*	*% Válido*	*% Acumulado*
Norte	40	25,00	25,00	25,00
Sul	40	25,00	25,00	50,00
Suburbana	40	25,00	25,00	75,00
Oeste	40	25,00	25,00	100,00
Total	160	100,00	100,00	

Como a nossa pesquisa foi limitada à classe média ou acima da média, só responderam ao questionário pessoas pertencentes às classes média, média alta ou alta, e residentes na cidade do Rio de Janeiro.

A distribuição por sexo foi a seguinte:

QUADRO 2. Distribuição da Amostra por Sexo

Sexo	*N.º Pais*	*%*	*% Válido*	*% Acumulado*
Masculino	46	28,75	28,75	28,00
Feminino	114	71,25	71,25	100,00
Total	160	100,00	100,00	

O nível de escolaridade ficou distribuído como mostra o Quadro 3. Apenas 2 pais não responderam a este item. Fica claro que a maioria dos entrevistados tinha alto nível de escolaridade (102 pais):

QUADRO 3. Distribuição da Amostra por Nível de Escolaridade

Nível de Escolaridade	*N.º Pais*	*%*	*% Válido*	*% Acumulado*
1º Grau	16	10,00	10,10	10,10
2º Grau	40	25,00	25,30	35,40
3º Grau	102	63,75	64,60	100,00
Não Responderam	2	1,25	—	
Total	160	100,00	100,00	

A faixa etária variou de 20 a 30 anos (os mais jovens) até aqueles com mais de 51 anos. Um dos entrevistados não quis revelar a idade. A faixa com maior concentração foi a segunda: pais com idade variando entre 31 e 40 anos, seguida de 63 pais com idade entre 41 e 50. Vejamos o seguinte:

QUADRO 4. Distribuição da Amostra por Faixa Etária

Faixa Etária	*N.º Pais*	*%*	*% Válido*	*% Acumulado*
20 a 30 Anos	7	4,37	4,40	4,40
31 a 40 Anos	83	51,87	52,20	56,60
41 a 50 Anos	63	39,37	39,60	96,20
51 ou Mais	6	3,75	3,80	100,00
Não Responderam	1	0,64	—	
Total	160	100,00	100,00	

O Quadro 5 mostra a distribuição das freqüências segundo a profissão dos entrevistados. As profissões, como se vê, variaram desde engenheiros, médicos, psicólogos, economistas, gerentes, bancários e artistas até cabeleireiros e um empregado da Companhia Telefônica do Rio de Janeiro. É interessante observar também que 24 dos pais (15%) eram "do lar", e apenas um era estudante. A profissão mais freqüente foi a de professor, com 35 entrevistados, ou 21,9% da amostra. Talvez a grande incidência de professores tenha ocorrido porque a maioria entrevistada era de mães, e aparentemente ainda hoje o magistério é a profissão da maior parte das mulheres de classe média.

QUADRO 5. Distribuição da Amostra por Profissão

Profissão	*N.º Pais*	*%*	*% Válido*	*% Acumulado*
Engenheiro, Físico, Químico, Geólogo	10	6,25	6,30	6,30
Profissional de Saúde	20	12,50	12,70	19,00
Economista, Estatístico, Contador, Analista de Sistemas	10	6,25	6,30	25,30
Advogado, Psicólogo, Bibliotecário, Sociólogo	12	7,50	7,60	32,90
Professor	35	21,87	22,20	55,10
Técnico	1	0,62	0,60	55,70
Artista, Atleta, Cantor,	1	0,62	0,60	56,30
Jornalista, Publicitário	1	0,62	0,60	56,90
Navegador Aéreo ou Marítimo	2	1,25	1,30	58,20
Escultor, Pintor, Desenhista, Decorador	5	3,12	3,20	61,40
Servidor Civil	3	1,87	1,90	63,30
Diretor, Administrador, Gerente, Empresário	9	5,62	5,70	69,00

Bancário, Escriturário	9	5,62	5,70	74,70
Trabalhador do Comércio	8	5,00	5,10	79,70
Trabalhador em Serviços de Estética	2	1,25	1,30	81,00
Trabalhador em Serviços de Manutenção	1	0,62	0,60	81,60
Proprietário de Estabelecimentos Diversos	2	1,25	1,30	82,90
Aposentado, Pensionista	2	1,25	1,30	84,20
Estudante	1	0,62	0,62	84,80
Sem Profissão	24	15,00	15,20	100,00
Não Responderam	2	1,30	—	—
Total	160	100,00	100,00	

Com relação à profissão, verificamos que nem todos os pais entrevistados atuavam na área em que se formaram, conforme demonstra o quadro a seguir:

QUADRO 6. Distribuição da Amostra com Relação ao Exercício da Profissão

Exerce a Profissão	*N.º Pais*	*%*	*% Válido*	*% Acumulado*
Sim	101	63,10	76,50	76,50
Não	31	19,40	23,50	100,00
Não Responderam	28	17,50	—	
Total	160	100,00	100,00	

Quanto ao estado civil, tivemos a seguinte distribuição:

QUADRO 7. Distribuição da Amostra com Relação ao Estado Civil

Estado Civil	*N.º Pais*	*%*	*Válido%*	*Acumulado*
Solteiro	10	6,25	6,25	6,25
Casado	126	78,75	78,75	85,00
Separado	22	13,75	13,75	98,80
Viúvo	2	1,25	1,25	100,00
Total	160	100,00	100,00	

Outro dado sociométrico colhido durante a pesquisa foi o número de filhos dos pais entrevistados. Talvez ter mais ou menos filhos conduzisse a práticas diversas. Por isso perguntei a todos os pais entrevistados quantos filhos tinham e qual a idade deles:

QUADRO 8. Distribuição da Amostra com Relação ao Número de Filhos

N.º Filhos	*N.º Pais*	*%*	*% Válido*	*% Acumulado*
1	28	17,50	17,50	17,50
2	81	50,60	50,60	68,10
3	42	26,30	26,30	94,40
4 ou Mais	9	5,60	5,60	100,00
Total	160	100,00	100,00	

Como se pode observar, a maior parte dos pais ouvidos na pesquisa tinha 2 filhos (81 pais) ou 3 (42 pais), constituindo um percentual de 76,9%. A minoria tinha apenas 1 filho (28 pais em 160) ou 4 filhos ou mais (9 pais somente).

A idade dos filhos ficou concentrada na faixa de 7 anos ou mais (90,6%). Apenas 5 pais tinham o filho mais velho na faixa de 0 a 2 anos e 10 na faixa de 3 a 6 anos. Este fato foi interessante para a pesquisa porque as entrevistas com pais que já têm filhos há mais tempo e que constituíram a maioria (145 pais) me pareceram muito positivas. Afinal, eles já passaram por mais experiências que os pais de apenas um filho e de muito pouca idade, que representaram, no caso, apenas 3,1% da amostra. Isto me parece dar aos resultados da pesquisa maior valor e peso.

QUADRO 9. *Distribuição da Amostra Quanto à Idade dos Filhos*

Idade do Filho Mais Velho	*N.º Pais*	*%*	*% Válido*	*% Acumulado*
0 a 2 Anos	5	3,10	3,10	3,10
3 a 6 Anos	10	6,30	6,30	9,40
7 a 12 Anos	40	25,00	25,00	34,40
13 ou Mais	105	65,60	65,60	100,00
Total	160	100,00	100,00	

Talvez pareça cansativo fornecer tantas informações e números. Mas o meu objetivo é que cada pai descubra que as suas dúvidas, os seus sofrimentos, questionamentos, solidão, medos, incertezas são os mesmos que os da grande maioria.

De acordo com as respostas dadas, os pais foram classificados em cinco grupos ou categorias: o comportamental "puro", o comportamental, o psicodinâmico "puro", o psicodinâmico e o grupo de pessoas que ficaram entre as duas tendências. Explicando melhor: cada resposta dada tinha um valor, isto é, valia um certo número de pontos (1, 2, ou 3). Respondidas as vinte primeiras questões, eram somados os pontos e calculada a média aritmética. Os pais eram então agrupados de acordo com os resultados obtidos. Após o Quadro 11, explico o que representaram na pesquisa essas cinco categorias.

Observe como ficaram os resultados:

QUADRO 10. Distribuição das Médias Obtidas pelos Pais

Categoria	*Média*	*N.º Pais*	*%*	*% Válido*	*% Acumulado*
I	1 a 1,40	0	—	—	—
(Comportamental Puro)					
II					
	1, 45	1	0,65	0,65	0,65
	1,55	2	1,25	1,25	1,90
	1,60	2	1,25	1,25	3,15
	1,65	4	2,50	2,50	5,65
	1,70	7	4,37	4,37	10,02
	1,75	9	5,62	5,62	15,64
	1,80	21	13,12	13,12	28,76
(Comportamental)					
III					
	1,85	10	6,25	6,25	35,01
	1,90	21	13,12	13,12	48,13
	1,95	8	5,00	5,00	53,13
	2,00	26	16,25	16,25	69,38
	2,05	13	8,12	8,12	77,50
	2,10	5	3,12	3,12	80,62
	2,15	10	6,25	6,25	86,87
	2,20	5	3,12	3,12	89,99
(Intermediário)					

IV					
	2,25	2	1,25	1,25	91,24
	2,30	7	4,37	4,37	95,61
	2,35	3	1,87	1,87	97,48
	2,40	3	1,87	1,87	99,35
	2,45	1	0,65	0,65	100,00
(Psicodinâmico)					
V					
	2,6 a 3	0	—	—	—
(Psicodinâmico Puro)					
Total		160	100,00	100,00	

É muito importante observar que nenhum pai foi classificado nas categorias extremas ("comportamental puro" ou "psicodinâmico puro"), tendo a grande maioria (98 pais) deles sido classificada como INTERMEDIÁRIOS. O quadro abaixo resume o Quadro 10, facilitando a percepção dos resultados:

QUADRO 11. *Distribuição dos Pais por Categorias**

Categoria	*N.º Pais*	*%*	*% Acumulado*
1	0	0	0
2	46	28,75	28,75
3	98	61,25	90,00
4	16	10,00	100,00
5	0	0	
Total	160	100,00	

(*) Observação:

Categoria	1 — COMPORTAMENTAL PURO	—	Média	entre	1,00	e	1,4
"	2 — COMPORTAMENTAL	—	"	"	1,41	e	1,8
"	3 — INTERMEDIÁRIO	—	"	"	1,81	e	2,2
"	4 — PSICODINÂMICO	—	"	"	2,21	e	2,6
"	5 — PSICODINÂMICO PURO	—	"	"	2,61	e	3,0

A título de esclarecimento e em linhas bem gerais, foi considerada TENDÊNCIA COMPORTAMENTAL aquela em que os pais adotam atitudes tradicionais na educação dos filhos, agindo de forma semelhante à dos nossos pais e avós. Em geral há muito pouco diálogo com as crianças, os comportamentos aceitos e os condenados são muito bem definidos, e sempre que ocorrem transgressões surgem os castigos. O respeito aos mais velhos é a tônica. Enfim, a relação é controlada e dirigida pelos pais. As crianças devem obedecer aos adultos sem questionar. Basicamente a educação visa a condicionar as crianças a aprenderem determinados tipos de comportamentos socialmente considerados corretos, de forma a repeti-los. A forma mais simples de representar essa tendência seria através do esquema estímulo-resposta, no qual para cada resposta "correta" haveria um "prêmio" que estimularia a criança a repetir esta atitude, enquanto as respostas "incorretas" ou "insatisfatórias" seriam desestimuladas através de sanções.

O prêmio pode variar desde um simples beijo até a aquisição de um brinquedo muito desejado, assim como o castigo pode ser um simples olhar de reprovação ou uma palmada.

Durante muitos e muitos anos este foi o esquema básico seguido por nossos pais e avós para educar os filhos. Evidentemente, estou simplificando ao máximo para que o leitor possa entender as categorias utilizadas na pesquisa. O comportamental "puro" seria aquele que praticamente em nenhuma das suas respostas se afastasse desses princípios básicos. Para isso, ele teria que responder as perguntas formuladas de forma a obter uma média entre 1,00 e 1,4. Como se pode verificar, não houve nenhum pai neste caso (veja o Quadro 11).

Com a evolução dos estudos em Educação e com o surgimento de novas correntes dentro da Psicologia, principalmente com o advento da Psicanálise, as tendências comportamentais foram cada vez mais questionadas por psicólogos e educadores, em função de uma preocupação cada vez maior com a criança. Realmente, estes estudos trouxeram mudanças incríveis na forma de se encarar esses assuntos. Deixou-se de ver a criança como um adulto em miniatura do qual se pode esperar atitudes e compreensão de adultos. A Escola Nova, com Dewey, Montessori, Rogers e tantos outros, mostrou a importância de ver a criança do seu enfoque — as necessidades afetivas das crianças passaram a ver valorizadas. Todo mundo começou a se preocupar com o desenvolvimento da criatividade, com a importância da brincadeira para o bom desenvolvimento emocional e intelectual, com o respeito às necessidades infantis, enfim, com uma série de aspectos que nem eram considerados antes. Jean Piaget colaborou sobremodo com seus estudos sobre os estágios de desenvolvimento intelectual da criança, e Freud demonstrou a força e a importância dos primeiros anos de vida para o ulterior desenvolvimento da sexualidade sadia. Sem citar outros tantos que deram contribuições igualmente fundamentais.

Essa gama de novos conhecimentos conduziu portanto a uma enorme modificação na forma de educar os filhos.

A TENDÊNCIA PSICODINÂMICA foi considerada então, na pesquisa, aquela em que os pais demonstraram, por suas respostas, uma grande preocupação com os aspectos emocionais, psicológicos e afetivos da criança em detrimento de outros, como por exemplo disciplina, horários, obediência etc., caracteristicamente valorizados na tendência comportamental.

As médias podiam variar num *continuum* de 1,0 (para aqueles que concordassem com todas as afirmativas comportamentais) até 3,0 (caso dos que concordassem com todas as afirmativas psicodinâmicas).

O *psicodinâmico "puro"* deveria apresentar quase a totalidade das respostas dentro desta perspectiva, ou seja, deveria obter uma média entre 2,61 e 3,0.

Ninguém foi enquadrado nesta categoria. As duas posições extremas não encontraram adeptos na pesquisa. A média mais baixa foi 1,45, e a mais alta, 2,45 (ver Quadro 10).

A *categoria "comportamental"* seria aquela em que os pais concordassem com a maioria das afirmativas comportamentais e discordassem apenas de algumas delas. Para tanto, deveriam apresentar uma média entre 1,41 e 1,8.

Psicodinâmicos seriam os pais que concordassem com a maioria das afirmativas que se apresentassem dentro dos princípios dessa teoria, discordando apenas de uma pequena parcela delas. Deveriam apresentar média entre 2,21 e 2,6.

A quinta categoria seria aquela em que as respostas apresentassem um equilíbrio entre as duas correntes, quer dizer, receberam a denominação de INTERMEDIÁRIOS os pais que obtiveram médias entre 1,81 e 2,2. Esses pais estariam apresentando, portanto, equilíbrio entre as duas tendências, isto é, teriam em alguns pontos posturas comportamentais e, em outros, posturas psicodinâmicas: aproximadamente metade das respostas em cada tendência. Como se pode observar, este grupo foi o que apresentou esmagadora maioria (61,3%), ou seja, 98 dos 160 pais entrevistados.

Isto significa que, apesar de toda a literatura apresentar-se francamente favorável a uma tendência psicodinâmica, ainda é maior o número de pais que acreditam na linha comportamental: os resultados nos apontaram 46 pais dentro dessa categoria, isto é, com uma concepção mais tradicional de Educação, contra apenas 16 pais que já apresentaram conceitos ligados a uma linha psicodinâmica.

Alguns dos pais que responderam ao questionário foram também observados em sua prática diária, para que eu pudesse analisar a relação e a coerência entre o que pensavam e o que faziam. Através dessa observação, pude perceber que muitos dos que se classificaram como COMPORTAMENTAIS não agiam como tal. Quer dizer, embora teoricamente se revelassem favoráveis a uma forma de educar que prioriza atitudes de controle bastante severas, não agiam desta forma com os filhos, demonstrando insegurança e freqüentemente atendendo a uma série de pedidos e exigências descabidos, por total impossibilidade de controle da situação.

Por outro lado, o fato de a grande maioria ter se classificado na categoria INTERMEDIÁRIA (98 entre 160) caracteriza uma mudança de comportamento, sem dúvida fruto da divulgação para o grande público das novas idéias da Psicologia e da Educação. É uma constatação extremamente positiva, pois configura um progresso em termos educacionais: há uma tendência dos pais no sentido de incorporarem atitudes de correntes mais atuais, na medida em que vão tomando conhecimento das novas formas de se encarar a criança.

O grande problema ocorre quando os pais agem de acordo com o que leram e ouviram mas sem terem realmente interiorizado ou criado as formas de atuação condizentes com as novas premissas. Aí, passam a utilizar comportamentos referentes ora a uma postura comportamental, ora a uma postura psicodinâmica.

No tratamento dos dados da pesquisa, foi feito o cálculo do QUI-QUADRADO. Trata-se de um estudo estatístico que visa a esclarecer se um determinado resultado ocorreu por acaso ou não. É um teste cujo objetivo é verificar com que grau de segurança pode-se considerar a influência ou não de determinadas variáveis na resposta obtida, em que medida dois ou mais atributos ou variáveis estão relacionados e em que nível de significância.

O teste do qui-quadrado respondeu, na pesquisa, às seguintes perguntas, entre outras:

- *A tendência pedagógica dos pais é influenciada pela zona residencial? Isto é: uma pessoa que mora na zona sul pensa diferentemente, em termos educacionais, de outra, moradora da zona suburbana, por exemplo?*
- *A forma de educar os filhos é influenciada pelo sexo? Ou seja: será que os homens são, com mais freqüência, mais comportamentais do que as mulheres ou vice-versa?*
- *A categoria a que pertencem os pais é influenciada pela idade? Isto é: pais de 20 anos pensam diferentemente de pais de 40?*

É a esse tipo de pergunta que o teste responde, através de uma série de cálculos. De acordo com a tabela que se utiliza, tem-se maior ou menor margem de segurança. No caso do presente trabalho, adotamos dois níveis de significância ($p > 0,05$ e $p > 0,10$), o que resulta numa possibilidade de erro, na primeira tabela, de apenas 5 em cada 100 casos, e de 10 em cada 100 casos na segunda. Com a utilização das duas, obtive mais fidedignidade nos resultados encontrados.

Todos os dados sociométricos foram cruzados com as categorias, fazendo-se sempre perguntas como as dos exemplos acima, para saber se havia influência do nível de escolaridade, da profissão, se exercia ou não a profissão, do estado civil, do número de filhos e da idade dos filhos, sobre os resultados obtidos.

EM TODOS OS CASOS, O TESTE DO QUI-QUADRADO APRESENTOU COMO RESULTADO A NEGAÇÃO DA RELAÇÃO ENTRE AS VARIÁVEIS (confirmação da hipótese nula). Em outras palavras, posso afirmar com uma margem de erro muito pequena (5 em 100) que a classificação obtida pelos pais independeu da região onde moravam, do sexo, do tempo de estudo, da profissão, do estado civil, do número de filhos e da idade.

Em síntese, tanto fazia, por exemplo, ser um professor, casado, com três filhos adolescentes, residindo na zona sul do Rio, como uma dona de casa aposentada, escriturária, com um filho de apenas oito anos, morando na zona oeste. O pensamento dos pais mostrou uma distribuição semelhante nas cinco categorias, independente dos fatores sociométricos.

Para obter resultados ainda mais confiáveis, fiz também o cruzamento de DUAS variáveis sociométricas com a CATEGORIA. O resultado ainda assim, em todos os casos, foi o mesmo.

Para ilustrar melhor esta última parte, um exemplo:

- *A média obtida pelos pais teria sido influenciada pela profissão e o nível de escolaridade?*

Dessa forma, foram cruzadas todas as variáveis sociométricas, duas a duas, com as médias obtidas. Ainda nestes casos, os resultados indicaram que o pensamento dos pais pertencentes à classe média, com relação à educação de seus filhos, não se encontra relacionado às variáveis sociométricas.

Em alguns pontos os pais mostraram coerência de pensamento: se concordavam com uma afirmativa da teoria comportamental, discordavam da sua oposta, psicodinâmica (para cada "questão comportamental", havia uma outra, correspondente e oposta, de "característica psicodinâmica". Portanto, para demonstrar coerência teórica, era preciso que, ao concordar com uma, discordasse da outra). Em muitos casos, porém, demonstraram incoerência, o que confirma a suposição inicial — OS PAIS DE HOJE SENTEM-SE INSEGUROS E ESTÃO CONFUSOS sobre alguns pontos da educação dos seus filhos porque, se por um lado conhecem alguma coisa de Psicologia e de Teoria da Educação, muitas vezes não sabem como fazer para colocar em prática aquilo que aprenderam nas suas leituras ou assistindo a programas sobre educação.

O que podemos concluir do estudo?

OS PAIS DA CLASSE MÉDIA, EM SUA GRANDE MAIORIA (61,3%), ENCONTRAM-SE ATUALMENTE NUMA POSIÇÃO INTERMEDIÁRIA ENTRE AS TEORIAS TRADICIONAIS DE EDUCAÇÃO E AS MODERNAS, UTILIZANDO CONCEITOS DE UMA OU OUTRA LINHA.

AINDA HÁ MAIS PAIS QUE CONCORDAM COM AS PREMISSAS TRADICIONAIS (28,8%) DO QUE COM AS MAIS MODERNAS (10%).

MUITAS VEZES OS PAIS APRESENTAM OPINIÕES INCOERENTES, SE ANALISADAS AS TEORIAS DAS DUAS TENDÊNCIAS ESTUDADAS.

Em alguns itens do questionário, houve quase unanimidade de respostas.

Por exemplo: uma das coisas que perguntei foi se eles achavam que brincar com os filhos era ou não uma OBRIGAÇÃO dos pais. Cento e quarenta e nove (93,1%) responderam que SIM. Sem dúvida, uma influência da Escola Nova e de outras teorias que vêm valorizando a participação dos pais no desenvolvimento intelectual e afetivo das crianças. Por outro lado, o fato de concordarem com o termo utilizado, "obrigação", merece algumas considerações. Os pais devem brincar com os filhos sim, mas de forma espontânea, enquanto isso lhes der prazer. Sem dúvida, é muito importante para o crescimento sadio dos filhos, para o seu equilíbrio emocional, que os pais compartilhem seus momentos de lazer com os filhos. Mas isto não deve se tornar uma OBRIGAÇÃO, porque desta forma o brincar perde seu real significado para tornar-se apenas um instrumento de controle e dominação dos filhos sobre os pais. No momento em que isso sucede, a atividade, que deve ser prazerosa para ambos, se torna um dever desagradável e impositivo para os pais.

Sempre me lembro de que muitas vezes contava histórias para os meus filhos antes de dormir. Mas esse "muitas vezes" não significava para mim "todas as noites". Para os dois, porém, significava. E tanto com um como com o outro foi preciso muita firmeza para não ceder e transformar em "escravidão" uma atividade de que eu gostava e que, na medida em que era feita com prazer, também dava prazer a eles. Portanto, embora com dificuldade, tive que fazê-los compreender que ou eu contava quando estava com disposição para tal ou não contava. Brincar é ótimo, desde que se QUEIRA. Podemos sempre fazer alguma concessão. O que não é absolutamente necessária é a ANULAÇÃO pessoal. Tudo pode ser feito, ATÉ DIZER NÃO, sem causar danos ou traumas, desde que seja com amor e segurança. Aparentemente, porém, para os pais da classe média de hoje, dizer *não* se tornou uma tarefa cada vez mais difícil.

Uma mãe contou-me certa vez que desde que tivera filhos "nunca mais pôde" (expressão dela) ter seus produtos de maquilagem em ordem porque a filha usava todos os batons e sombras para brincar. Será mesmo que ela precisava concordar com isso para ser uma boa mãe?

Outro resultado interessantíssimo foi que 150 pais (93,8%) responderam afirmativamente à questão "Quando retornam do trabalho, à noite, os pais devem fazer um esforço para superar o cansaço e brincar com seus filhos?" Talvez este fato explique por que aquela mãe não podia ler seu livro na piscina, "proibida" pela filha. Talvez ela se sentisse muito mal consigo mesma por preferir ler o livro a brincar o tempo todo com a filha. Talvez ela julgasse que era seu DEVER brincar como se tivesse, também ela, sete anos. Em nenhum momento foi capaz de perceber que na piscina havia muitas crianças com as quais sua filha poderia brincar e que, absolutamente, ela não a estava privando de nada ao ler seu livro. Os pais das gerações anteriores apenas em especialíssimas ocasiões brincavam com seus filhos. Sob a influência da divulgação das necessidades infantis pelas correntes modernas de Educação, os pais se vêem "obrigados", constrangidos, a atender aos desejos dos filhos, confundindo necessidade com controle.

Esta mesma observação nos permite discutir a questão da culpa e da insegurança. Cento e sete (107) pais entrevistados (quase 70%) afirmaram acreditar que mães que trabalham fora privam seus filhos do atendimento de muitas das necessidades e anseios infantis contra apenas 47, que acharam não haver prejuízo, e 7, que não tinham opinião formada a respeito. Não houve diferença significativa entre os sexos nesta questão. Tanto as mães como os pais, em sua maioria, pensam estar prejudicando seus filhos se trabalham fora. Quer dizer, os pais acham que as mães deixam de atender às necessidades infantis quando trabalham fora, mas não acham o mesmo em relação a si próprios. Isso acarreta, sem dúvida, um clima de culpa e, conseqüentemente, de débito das mães para com os filhos. Para a mulher, ainda uma culpazinha a mais — com os maridos, pais de seus filhos, que também acham que seria melhor as mulheres ficarem com as crianças em casa. Sim, porque esta questão foi feita de forma específica: "MÃES que trabalham fora privam seus filhos do atendimento de muitas necessidades e anseios infantis." Além de elas próprias sentirem que deviam estar em casa cuidando dos filhos, têm ainda os maridos para confirmar esta impressão, aumentando-lhes a ansiedade e a culpa.

Todas as questões que abordaram temas como CULPA e INSEGURANÇA obtiveram esmagadora concordância dos pais, algo em torno de 70% a 80%.

Dos 160 pais, 141 concordaram com a afirmativa de que "algumas vezes as exigências das crianças são altamente desgastantes e irritantes, e que os pais precisam de muito autocontrole para evitar punir ou agredir seus filhos". Esse alto índice (88,1%) e a forma pela qual a pergunta foi feita mostram que a grande maioria dos pais, muitas vezes, faz o que não quer, porque pensa que se agir de outra forma estará "errando". Por isso presenciei tantos pais literalmente "rangendo dentes", mas deixando os filhos manusearem seu aparelho de som, estragarem seus objetos de uso pessoal, escolherem o programa de TV etc. Nenhum deles parou para pensar em quanto já dera, seja em termos materiais, seja em termos emocionais e afetivos, aos filhos. Nenhum deles pesou a questão do respeito aos direitos do outro (no caso, os pais), no quanto os nossos filhos, que têm tudo do ponto de vista material, realmente precisariam de mais esta concessão para serem felizes. E, acima de tudo, nenhum deles pensou no tipo de educação que estaria dando aos filhos, ao se omitirem quanto ao problema dos limites de cada pessoa com relação ao outro. Uma criança que cresce acostumada a não ter nenhum limite, que tipo de cidadão será? E se o objetivo dos pais é evitar frustrações, aí mesmo é que eles estarão se enganando. Se hoje nossos filhos não desenvolverem a capacidade de tolerância à frustração, como poderão suportar futuramente os embates da vida?

Talvez tantos pais achem seus filhos "irritantes e desgastantes" porque não estão agindo da forma pela qual gostariam, e sim da forma que acham que DEVEM. Parece que há uma força interna impedindo-os de agirem espontaneamente, com naturalidade, em sua relação com os filhos. A meu ver, esta "força" é a culpa que carregam, originada na insegurança que sentem. Não sabem até onde devem ser "modernos", até onde devem concordar com os filhos e quando devem começar os limites. Agem contrariamente ao que desejam porque acreditam que DEVEM, agüentam até onde podem e, então, incoerentemente, partem para o extremo oposto, castigando, gritando, às vezes até batendo. Não estabeleceram os limites de cada um, e aí, em algum momento, chegaram ao seu próprio limite. Quão educativa será esta atitude? Não será mais saudável, mais educativo e mais DEMOCRÁTICO estabelecer de princípio as regras do jogo? Não se tornarão assim nossos filhos menos irritantes e desgastantes?

Será que para ser um bom pai, ou pais "bons o bastante", no dizer de Bettelheim, é preciso se anular como pessoa? Tenho certeza de que não. Alguns sacrifícios pessoais realmente serão sempre impossíveis de se evitar, sobretudo quando os filhos são muito pequenos. À medida porém que crescem, eles se tornam cada vez mais aptos a conversar, entender e ceder, quando necessário.

Os pais acham as exigências dos filhos desgastantes e irritantes porque não se colocam na relação como pessoas com direitos. Você pode e deve atender às necessidades de seus filhos, mas é fundamental que compreenda a diferença entre EXIGÊNCIA e NECESSIDADE. Necessidades devem ser atendidas, exigências não.

Uma vez presenciei a seguinte cena, ao levar meu filho caçula ao cinema: uma das mães que estavam na sala de espera perguntou ao filho se ele queria alguma bala. Ele escolheu três tipos: um chocolate, uma caixinha de chicletes e um saco de jujubas. A mãe disse que escolhesse uma apenas, explicando que fazia mal aos dentes, que ele já tivera muitas cáries, que o dentista proibira etc. A criança começou a chorar. A mãe vacilou. A criança, percebendo imediatamente ter ganhado um tento, berrou. A mãe comprou os três doces.

Por insegurança, ela ensinou várias coisas ao filho: que, na verdade, não era importante o que o dentista dissera sobre cáries, que no grito se consegue muito e que comer apenas um tipo de doce é muito pouco.

Não posso deixar de comentar as questões que se referem ao problema da INSEGURANÇA. Dos 160 pais ouvidos, 108 (67,5%) concordaram em que muitas vezes fazem concessões aos filhos porque sentem-se inseguros quanto à forma mais adequada de agir ao educá-los e 109 (68,1%) concordaram que, muitas vezes, agem de forma a evitar sentimentos posteriores de culpa na relação com os filhos. Estas duas questões marcam, de forma clara, o quanto os pais encontram-se "perdidos" quanto à melhor forma de educar seus filhos. Os pais de hoje sentem-se atemorizados à perspectiva de falhar na educação dos filhos. Isso sem dúvida não ocorria nas gerações anteriores.

Uma boa dose desse problema deve-se ao fato de que a maior parte das publicações induz os pais a sentirem-se culpados por tudo que ocorre na vida de seus filhos. Como já referi anteriormente, esta visão é psicologizante e, portanto, reducionista. Muitos são os fatores que concorrem para os acontecimentos que sucedem na vida dos nossos filhos. Os pais são apenas uma parte deles, embora talvez sejam a parte mais importante. Entretanto, é preciso resgatar o quanto de bom os pais fazem, o quanto de doação e amor colocam na relação. Se incorrem em alguns erros, eles não são, de forma geral, incontornáveis. O amor e o diálogo são os instrumentos para a superação da maior parte dos erros. Só não há remédio para a falta de amor e de responsabilidade.

A influência da Psicanálise revelou-se bem presente numa das questões da pesquisa, que dizia: "A criança, como o adulto, sofre de angústia e até de depressão." Cento e quarenta e quatro (144) dos 160 pais concordaram com a afirmativa (90%). Também 150 (93,8%) concordaram quanto à importância das experiências da primeira infância em termos de influência na auto-estima e percepção pessoal. Alguns princípios das teorias psicodinâmicas já se tornaram quase que de domínio público, o que é muito positivo.

Ao mesmo tempo que demonstram ter alguns conhecimentos ligados a teorias mais modernas, os pais acreditam na importância de "treinar bem" os filhos, que é uma atitude bastante ligada às linhas comportamentais. Cento e cinco (105) dos 160 (65,6%) concordaram quanto à importância do treinamento na educação.

Também ligado a essa linha teórica, o CASTIGO encontrou, por parte dos pais, muita aceitação. As duas perguntas que a ele se referiam encontraram aprovação de 73,8% e 71,3%, respectivamente. Portanto, apenas cerca de 20% dos pais manifestaram-se contra o castigo.

Uma das questões referia-se explicitamente à "palmada" (castigo corporal leve), e a posição dos pais foi surpreendente: 122 dos 160 (76,3%) foram favoráveis à "PALMADA COMO MEIO DE RESOLVER ALGUNS TIPOS DE REBELDIA" contra apenas 33 (20,6%) que se declararam desfavoráveis e 13 (8,1%) que afirmaram não ter opinião a respeito.

Estas três questões comprovam e reafirmam que a maioria dos pais encontra-se realmente numa categoria INTERMEDIÁRIA, isto é, utiliza conceitos ora de uma corrente ora de outra, muito embora quase em sua totalidade os princípios sejam opostos. Quer dizer, ao mesmo tempo em que eles sabem que a criança não é egoísta, mas egocêntrica em determinada fase de seu desenvolvimento, embora conscientes de que a criança é passível de sofrer de angústia, embora sabedores da importância das primeiras experiências nos seis primeiros anos de vida, eles continuam sendo favoráveis à palmada, ao treinamento como instrumento educativo etc.

Enquanto permanecerem divididos e inseguros, sem tomar uma decisão consciente, transmitirão insegurança aos filhos, que, num círculo vicioso, testarão os limites do seu poder junto aos pais, o que os levará (enquanto permanecerem inseguros) a cederem a situações com as quais não concordam. Quanto mais vezes isso suceder, mais vezes lançarão mão da palmada como último recurso de uma pedagogia desorganizada e desarmônica.

A PEDAGOGIA DO GRITO É O GESTO FINAL DE DESESPERO E INSEGURANÇA.

A única forma de superar essa situação é através da análise corajosa e consciente do que desejamos e a escolha livre sobre o que lemos e aprendemos dentre as diversas teorias existentes. Somente a análise crítica nos levará a optar por objetivos nos quais realmente acreditemos e, portanto, possamos cumprir.

IX

Correspondência no paraíso

Ninguém melhor do que eu, mãe como você, para saber o quanto nos é difícil negar coisas a criaturinhas tão fofas e sedutoras quanto as crianças. Diga-se de passagem, ninguém tão fofo ou tão sedutor quanto os NOSSOS PRÓPRIOS filhos, mais do que qualquer outra criança (a maioria dos pais sofre de miopia crônica, causada pelo amor aos filhos)... Sendo de classe média, então, na maior parte das vezes temos os recursos para atendê-las. O que representam um carrinho a mais, uma nova fita de *videogame*, um novo brinquedo? Muitas vezes temos dinheiro para comprar. Se o nosso filho pediu três pacotes de balas e não um apenas, e temos dinheiro na bolsa, por que não satisfazê-lo? Se podemos sair escondidos para ele não chorar, por que provocar lágrimas? Se lhe dá tanto prazer comer o peito do frango, por que eu (que já devo evitar tanta proteína após os trinta anos) vou fazer questão, coitadinho? Se ele quer comer todos os bombons da casa de uma só vez, por que fazê-lo pensar nos outros? Se ele fica tão feliz quando eu deito com ele até que adormeça, para que contrariá-lo?

Além do mais, é tão mais fácil ser "bonzinho"...

O problema é que ser pai é muito mais do que apenas ser "bonzinho" com os filhos. Ser pai é ter uma função e responsabilidade social perante nossos próprios filhos e a sociedade também.

Portanto, quando eu decido negar um carrinho a um filho, mesmo podendo comprar e sofrendo por dizer-lhe não, porque ele já tem outros vinte, estou lhe ensinando que existe um limite para o TER. Estou, indiretamente, valorizando o SER. Quando cedemos a todas as reivindicações, estamos caracterizando uma relação de dominação, estamos colaborando para que a criança depreenda do nosso próprio exemplo o que queremos que ela seja na vida: uma pessoa que não aceita limites e que não respeita o outro como indivíduo. Para poder ter tudo na vida, fatalmente, quando adulto, ele terá que ser um indivíduo altamente competitivo e com muita "flexibilidade" ética. Caso contrário, como conseguir tudo? Como aceitar qualquer derrota se nunca nos fizeram crer que isto é possível e até normal? Não estou defendendo que se crie um ser acomodado, sem ambições e derrotista. De forma alguma! É o equilíbrio que precisa existir: o reconhecimento otimista de que às vezes perdemos e em muitas outras ganhamos. Para fazer com que um indivíduo seja um lutador, um ganhador, é preciso que, desde logo, ele aprenda a lutar pelo que deseja, mas com suas próprias armas e recursos, não fazendo com que ele creia que alguém (os pais, por exemplo) lhe dará tudo, sempre e de mão beijada.

Satisfazer as necessidade das crianças é uma obrigação dos pais, mas é preciso que entendamos claramente o que são necessidades e o que é apenas uma atitude derivada da nossa própria incapacidade de julgar.

Quando não resta a nossos filhos espaço para desejar nada, porque tudo lhes é dado apenas manifestado um desejo, estamos retirando deles o prazer de esperar e saborear a conquista. Estamos condenando-os a nos pedirem cada vez mais, até que, tendo recebido tudo de imediato, não lhes reste nada por que lutar. Assim, eles aprenderão que o mundo existe para servi-los, e, quando a vida se encarregar de mostrar a sua face dura, talvez eles descubram que nós os ludibriamos. Ludibriamos sim, na medida em que lhes criamos a ilusão de que o mundo e as pessoas só existem para seu "uso pessoal". Será que é deste tipo de gente que a sociedade precisa?

Como vimos anteriormente, os pais agem muitas vezes por medo e insegurança, tentando evitar assumir as culpas que insistem em lhes jogar nos ombros. Pensam que não devem negar nada aos filhos sob pena de castrá-los, frustrá-los, diminuir sua criatividade. Na verdade, temem agir de forma antiquada, superada e anacrônica. É um erro a que muitos pais foram induzidos pela forma com que os textos expõem para o grande público as modernas teorias de Educação e de Psicologia. O que quero deixar claro é que NEM SEMPRE OS PAIS TÊM CULPA por tudo que acontece com os filhos. Mais do que isso — acredito que sejam os que mais sofrem nas atuais circunstâncias, em que tanto lhes é cobrado. É terrível pensar, a cada momento, que um ato nosso pode desencadear um processo traumático para os nossos filhos. É apavorante ler textos em que os pais são apresentados como culpados por todos os problemas dos filhos.

Não encontrei praticamente nenhum texto que não acusasse os pais de alguma coisa.

Se a criança é agitada ou bagunceira na escola, logo aparece alguém (o professor, o psicólogo escolar ou o orientador educacional) para deduzir que ela "deve estar com problemas em casa". Obviamente, muitas vezes é verdade. Mas nem sempre.

Recordo com muita nitidez a primeira creche em que coloquei meu filho mais velho, então com dois anos. Como mãe moderna e professora, fiz uma seleção criteriosa até decidir-me por uma que julguei ser a melhor — as diretoras eram uma pedagoga e uma psicóloga. Melhor combinação impossível (pareceu-me na época)! Decorrido um tempo, ele foi para um outro colégio, já no período preparatório para a alfabetização. Qual não foi a minha surpresa ao saber que o tempo todo em que ele ficara na primeira creche não houvera um só momento dedicado a atividades que desenvolvessem a concentração e a coordenação motora, necessárias para desenvolver a maturidade visando à aprendizagem da leitura e da escrita. A orientação era deixar a criança fazer apenas "o que gostasse e quisesse". Desta forma, como as atividades que exigiam mais concentração eram para ele difíceis e cansativas, é claro que ele jamais as escolhia, preferindo sempre ficar no pátio, desenvolvendo brincadeiras livres. Resultado: precisei colocá-lo numa logopedista para que recuperasse o tempo perdido e não houvesse problemas com a alfabetização. É um exemplo típico de falsa interpretação e confusão quanto ao que seja NECESSIDADE e INTERESSE. Na verdade, meu filho tinha necessidade dos exercícios, mas não tinha interesse em fazer. Era necessária a atuação eficaz de um adulto, que, embora com carinho, atenção e gentileza, o levasse a interessar-se e a vencer suas dificuldades. Atribuindo tudo a problemas "em casa", a escola eximiu-se de qualquer responsabilidade e ponto final.

Todos os contatos que tive com o pessoal desta creche terminavam numa espécie de interrogatório sobre a minha vida em casa com meu marido e filhos.

Pode realmente acontecer, e muitas vezes acontece, de a origem de determinados problemas ser psicológica, mas pode também não ser. E, em sendo, pode ocorrer também de os pais não serem os culpados.

Se no entanto tudo na sociedade leva os pais a acreditarem nessa sua culpa total e inexorável, isso, evidentemente, conduz a uma situação que praticamente os impede de agir de acordo com a naturalidade e espontaneidade que seriam ideais à relação.

A pesquisa que relatei mostrou claramente que os pais vêm evoluindo de uma postura tradicional, comportamental, para outra mais moderna, influenciada pela Escola Nova e sobretudo pela Psicanálise. Mostrou também que os pais se sentem imensamente inseguros nessa nova situação. Por quê? Porque os manuais, livros e programas sobre Educação que lhes chegam não esclarecem, em sua maioria, qual a atitude correta, deixando apenas clara a necessidade de ATENDER ÀS NECESSIDADES INFANTIS. Daí a supor que é proibido proibir, limitar, dizer *não* etc. é um pulo...

Por isso é muito importante você saber que tanto as escolas de linha comportamentalista como as psicodinâmicas não excluem a necessidade de os pais colocarem limites e sanções às crianças, sempre que preciso. Muito embora de formas diferentes, ambas as linhas admitem a necessidade de, em determinados momentos, negar algumas coisas aos filhos. O castigo, da mesma forma, é visto como uma possibilidade para ambas, muito embora, evidentemente, com uma prática e abordagens diversas.

Sobre o castigo, a pesquisa mostrou de forma irrefutável que os pais continuam acreditando em sua eficácia. Só que como têm medo de se revelarem antiquados, evitam ao máximo limitar, castigar, controlar, deixando esses comportamentos apenas para o momento do "NÃO AGÜENTO MAIS!!!" O que é altamente negativo, porque induz a criança a "aproveitar" os momentos de "bom humor" dos pais explorando tudo que pode. Por outro lado, torna-a a cada vez mais incapaz de aceitar depois, sem muita "briga", qualquer negativa.

Tanto a linha comportamental como a psicodinâmica admitem a necessidade de se estabelecer limites. A diferença reside no fato de que na primeira a negativa não permite refutação, enquanto que a segunda apresenta a negativa dialogada, explicando-se o porquê e admitindo-se conversar sobre o assunto.

Assim, é completamente equivocada a postura de determinados pais que, distorcendo conceitos básicos da Psicologia, partem para práticas que só lhes trarão problemas e aborrecimentos no dia-a-dia e, infelizmente, não conduzirão aos resultados esperados — tentar evitar castrar ou frustrar os filhos e criá-los dentro de uma perspectiva que acreditam "moderna".

É muito importante saber que NADA NEM NINGUÉM conseguirá evitar as frustrações ou os problemas inerentes à própria vida. Portanto, não nos coloquemos tarefas acima da capacidade humana. Nem queiramos criar para os nossos filhos redomas. É muito mais eficaz estabelecer uma relação em que a tônica seja a amizade, a confiança mútua, do que lhes esconder a realidade do mundo. De frente para a verdade, nas horas duras eles saberão que contam conosco. Isso é que é importante.

O que pretendo deixar como mensagem para os pais é que a moderna orientação educativa não estabelece o primado da criança em detrimento da existência dos pais como indivíduos. Pode-se ser um ótimo pai mesmo limitando, dizendo *não* quando necessário ou tendo algumas descompensações emocionais de vez em quando. Procure ser o melhor pai possível, mas quando falhar não pense que é uma situação sem retorno.

O EXEMPLO é ainda uma das melhores formas de se educar, e se nos mostrarmos inseguros e incoerentes estaremos causando mais mal do que se, num determinado momento, decidirmos não brincar com nossos filhos, a não ser quando realmente o queiramos.

A prática da DEMOCRACIA e da AUTENTICIDADE é a linguagem perfeita para se estabelecer uma relação igualitária.

E, é importante frisar, SER DEMOCRÁTICO não é sinônimo de FAZER TODAS AS VONTADES DOS FILHOS, porque o espaço da democracia pressupõe a igualdade de oportunidades.

Também não é demais ressaltar mais uma vez que ser MODERNO nem sempre é sinônimo de ser PERMISSIVO. Ser LIBERAL não significa, em hipótese alguma, deixar nossos filhos esquecerem ou não aprenderem as regras básicas de civilidade, camaradagem e respeito ao próximo. É tão agradável ver um jovem levantar e ceder lugar para uma pessoa idosa! Isso não é antigo. Ao contrário, os que assim agem ganham muitos pontos junto aos grupos que freqüentam... Não tema exigir que seu filho espere terminar o que você está fazendo para atendê-lo. A não ser que seja uma coisa urgente. É bonito que haja respeito entre as pessoas, é bonito e é DEMOCRÁTICO. Se você não consegue nem ao menos dar um telefonema sem ter que interromper para atender sua filha em situações simples como vestir uma roupinha na boneca, eu pergunto: onde está a igualdade? Você se sente bem OBEDECENDO a esses tipos de imposição? Já questionou por que você cede a este tipo de exigência? Procure suas culpas, e somente as assuma quando houver razão de ser.

Vamos recuperar nossa AUTORIDADE, sem cair no AUTORITARISMO. Para isso, basta que tenhamos equilíbrio e bom senso. Ceder no que não for importante para a formação dos jovens, aceitar a sua irreverência como uma saudável conquista que acabou com o formalismo exagerado, sem confundi-la com má educação e desrespeito.

Enfim, procure descobrir NO QUE VOCÊ ACREDITA. Parta para uma prática consciente do que deseja. Leia, discuta e procure entender tudo que surge de novo sobre educação de crianças. Isso é perfeito. Não embarque porém na primeira opinião que ouvir. Você tem direito de discordar. Nem tudo que é moderno e novo é bom para você e seus filhos.

Aja com consciência — é a melhor forma de evitar A CULPA. Não aceite tudo que falam sobre os pais. Nem sempre é verdade. Desconfie das afirmativas muitas categóricas, tipo "se fizer assim aconterá assim". Essa relação causa-efeito pode ser verdadeira em alguns casos, mas nem sempre o é em TODOS OS CASOS.

Olhe para seus filhos com isenção. Por mais que os amemos, podemos fazer uma análise isenta. Como eles se comportam com outras crianças? Como recebem sua atenção e seu carinho? Como são vistos pela escola e por seus amigos? Como você se sente convivendo com eles? Há felicidade e leveza na relação? Há reciprocidade, quer dizer, eles também se interessam pelo seu bem-estar? Freqüentemente, você se surpreende impaciente ou cansado da convivência com eles? Sua casa é o paraíso ou o purgatório? Conheço muitas pessoas que se sentem livres apenas no trabalho. A esse propósito, lembro-me de um amigo nosso, médico, que dava plantão num hospital público daqueles enormes, que atendem a mil emergências por dia, e que sempre nos dizia que era lá que ele descansava, porque assim ficava longe dos três filhos.

Essas e outras perguntas podem nos ajudar e muito a descobrir que tipo de vida estamos tendo com nossos filhos.

Procure também SE VER. Que tipo de pai você tem sido? Presente, genuinamente interessado? Você faz tudo por seu filho com prazer ou, na maior parte das vezes, se sente "roubado" em alguma coisa?

Se freqüentemente você se sente à beira de um ataque de nervos, se vocês dois, pai e mãe, não têm mais um momento para conversarem, se você não pode ouvir uma música, então alguma coisa errada está acontecendo.

Mesmo numa relação entre pais e filhos pequenos, sabendo que a criança muito nova ainda não pode entender ou aceitar muitas limitações, pode haver respeito e um mínimo de igualdade. Estabelecer uma relação igualitária não é uma meta que se alcance sem muito esforço e dedicação. Mas isso só se consegue se começarmos cedo.

Já vivemos a era em que a palavra de um pai era inquestionável, em que a relação era totalmente voltada para os interesses e necessidades dos adultos, em que as crianças viviam com medo dos pais.

Agora estamos vivenciando uma etapa em que os pais, por tudo que vimos até aqui, perderam o rumo e passaram, estranhamente, em muitos casos, o controle da relação para os filhos.

Está na hora de encontrarmos o "justo meio-termo" de que falava Aristóteles. Por que não criarmos uma relação de CORRESPONDÊNCIA? Por que sempre um dos lados ter o controle da situação? Por que não a igualdade, a democracia e o entendimento? Será que é preciso carregar tanta culpa nas costas? Não será viável alcançarmos uma relação em que pais e filhos dêem e recebam na mesma proporção? Será impossível que a base da relação seja a amizade? Será mesmo necessário PADECER NO PARAÍSO? Não, tenho certeza de que não.

Nossos filhos se sentirão muito melhores convivendo com pessoas que os respeitam, mas que também SE RESPEITAM. Mesmo porque sem respeito próprio é impossível o respeito pelo outro.

Prefiro acreditar numa relação em que pai e filho caminhem um na direção do outro e, quando juntos, caminhem ambos em direção ao amor e ao entendimento.

Depende de nós, pais, encontrar o caminho para o PARAÍSO. Porque certamente só sentiremos o paraíso que é viver com nossos filhos quando houver correspondência no amor, na doação, no interesse mútuo, quando não nos sentirmos os eternos culpados por tudo que acontece com nossos filhos. Quando além de apoiá-los e ouvi-los sempre que for preciso, também possamos falar e ser ouvidos. Quando a relação for antes uma sólida amizade, dia a dia enriquecida, que a tradicional relação pai-filho.

Somente quando isso acontecer, quando tudo isso for realidade, aí sim, poderemos dizer que encontramos a CORRESPONDÊNCIA NO PARAÍSO, eliminando de vez a falsa necessidade de PADECER NO PARAÍSO.

Bibliografia

ABRAMOVICH, F. O *sadismo de nossa infância*. Summus, SP, 1981.

——. O *mito da infância feliz*. Summus, SP, 1983.

ALVITE, M.M.C. *Didática e psicologia — Crítica ao Psicologismo na Educação*. Loyola, SP, 1981.

BETTELHEIM, B. *Uma vida para seu filho — Pais bons o bastante*. Campus, RJ, 1988.

BOBBIO, N. *Liberalismo e democracia*. Brasiliense, SP, 1988.

——. O *futuro da democracia*. Paz & Terra, RJ, 1987.

BROUCK, JEANNE VAN DEN. *Manual para crianças com pais-problema*. Marco Zero, RJ, 1984.

DE LAMARE, R. *A vida do bebê*. Bloch, RJ, 1984.

FOUCAULT, MICHEL. *Doença mental e psicologia*. Tempo Brasileiro, RJ, 1968.

FRIDAY, N. *Minha mãe, meu modelo*. Record, RJ, 1977.

GLAT, ROSANA. *Somos todos iguais a vocês*. Agir, RJ, 1989.

KLEIN, MELANIE & al. *A educação de crianças à luz da investigação psicanalítica*. Imago, RJ, 1973.

LIBÂNIO, J.C. *Democratização da escola pública: A pedagogia crítico-social dos conteúdos*. Loyola, SP, 1985.

LIMA, L.O. *Introdução à pedagogia*. Brasiliense, SP, 1983.

MONTESSORI, M. *Montessori em família*. Portugália, RJ.

NICK, EVA & KELLNER, S.R.O. *Fundamentos de estatística para as ciências do comportamento*. Ed. Renes. RJ, 1971.

OSBORNE, E. et al. "Orientação psicológica para os pais." Coleção *Seu Filho de... Anos*. Imago, RJ, 1975.

PIAGET, J. & INHELDER, B. *A psicologia da criança*. Difel, SP, 1974.

ROGERS, CARL. *Tornar-se pessoa*. Martins Fontes, SP, 1987.

SALK, LEE. O *que toda criança gostaria que seus pais soubessem*. Record, RJ, 1972.

——. O *que os pais devem saber*. Record, RJ, 1974.

SANDSTROM, C.I. *A psicologia da infância e da adolescência*. Zahar, RJ, 1975.

SILVA, M.G.R. *Prática médica — Dominação e submissão*. Zahar, RJ, 1976.

SPOCK, BENJAMIN. *Criando filhos em tempos difíceis*. Abril, SP, 1976.

WEBER, M. *The Theory of Social and Economic Organization*. Free Press, Glencoe, III., 1957.